Andrzej Kopczyński
Alina Wójcik

Survival Polish

Useful Phrases and Conversations

GW00391138

WIEDZA POWSZECHNA

Warszawa

Okładka, karta tytułowa, rysunki
KRYSTYNA TARKOWSKA-GRUSZECKA

Fotografia na okładce
ARCHIWUM CAF

Redaktor
ANNA MORACZEWSKA

Redaktor techniczny
ANDRZEJ MIREK

Korektor
MARIA ALEKSANDROW

© Copyright by Państwowe Wydawnictwo „Wiedza Powszechna"
Warszawa 1990, 1999

Wydawnictwo prowadzi sprzedaż wysyłkową książek
za zaliczeniem pocztowym.

PW „Wiedza Powszechna"
ul. Jasna 26, 00-054 Warszawa, tel. (0-22) 827 07 99 fax w. 131
e-mail: wiedza@medianet.pl
Wydanie III   2002 r.
Druk i oprawa: Poznańskie Zakłady Graficzne SA

ISBN 83-214-1135-5

INTRODUCTION

"Survival Polish" is intended for English-speaking tourists coming to Poland for a short visit. It contains basic questions and answers, phrases and expressions enabling elementary communication in typical situations connected with travel and stay in Poland. It can also be of help in many other situations where survival in Polish is called for.

A simplified phonetic transcription is provided to help correct reading and pronunciation of the words and sentences.

Simple thematic headings and an alphabetical index will help to easily locate the needed expressions.

* * *

Polish monetary unit is 1 zloty (*abbr.* zł) which consists of 100 groszy (*abbr.* gr).

POLISH PRONUNCIATION

Here are some general tips concerning Polish pronunciation:

— the stress in Polish falls on the last but one syllable in the word; since it is so regular and exceptions are very few, we have not marked it in the phonetic transcription, and so e.g. the words

wieczór		WIEczór
dobranoc	should be stressed	doBRAnoc
informacja		inforMAcja

— vowels in Polish are not reduced and are pronounced very clearly in all positions; you can achieve this effect by slightly prolonging them, e.g.

dobrze	should be	do:brze:
zaproszenie	pronounced	za:pro:sze:nie:

This prolongation is not marked in the transcription. Care should be taken to pronounce the vowels uniformly at the end of the word, e.g.

ba:rdzo:

— [r] is pronounced in all positions and is somewhat similar to the Scottish [r], e.g.

para   park   numer

— Polish [*l*] is always light, i.e. similar to the British [*l*] before vowels in *like, leave*, etc.

— all consonants in Polish are softened before [*ee*] and [*y*] (spelled i, j), e.g.

list	[*leest*]
miasto	[*myasto*]

The transcription has been made as simple as possible but some of the symbols need explanation:

[*i*]	is similar to English *tin, sick*
[*ee*]	is similar to the vowel in English *teach, seek*
[*ẽãõ*]	are Polish nasalized vowels pronounced as French *fin, restaurant* and *bon*, respectively
[*y*]	as in English *yellow, mayor*, etc.
[ʃ]	as in English *ship* but harder
[ʒ]	as in English *measure* but harder
[ç]	as in English *ship* but much softer: "say sh, think of ee"
[ʑ]	as in English *measure* but much softer
[t͡ʃ]	as in English *much* but harder
[d͡ʒ]	as in English *judge* but harder
[*t-ʃ*]	marks separate pronunciation [*t* + ʃ] as in *that shop*
[*d-ʒ*]	marks separate pronunciation [*d* + ʒ]
[t͡ç]	as in *much* but softer
[d͡ʑ]	as in English *judge* but definitely softer
[t͡s]	as in English *Switzerland*

7

[d͡z]	as [ts] but voiced
[ń]	as [n + y]: "say n, think of y"
[ŋ]	as in English *long, link*
[w]	as in English *window*
[h]	as in English *home* but stronger and similar to Scottish *loch*

GREETINGS, LEAVE-TAKINGS AND POLITE EXPRESSIONS

Good morning, good afternoon.	Dzień dobry. *[dźeń dobri]*
Good evening.	Dobry wieczór. *[dobri vyetʃur]*
Good night.	Dobranoc. *[dobranotŝ]*
Goodbye.	Do widzenia. *[do veedźeña]*
See you tomorrow.	Do jutra. *[do yutra]*
Hello, hi.	Cześć. *[tʃeçtç]*
See you (soon).	Do zobaczenia (wkrótce). *[do zobatʃeña (fkruttŝe)]*
Have a nice trip.	Szczęśliwej podróży. *[ʃtʃĕçleevey podruʒi]*
Have a nice stay in...	Życzę przyjemnego pobytu w... *[ʒitʃe pʃiyemnego pobitu v...]*
I must say goodbye to you.	Muszę się pożegnać. *[muʃe çe poʒegnatç]*
Please remember me to...	Proszę pozdrowić ode mnie... *[proʃe pozdroveetç odemñe]*

9

Not at all. You are welcome (*in response to* "Dziękuję").	Proszę bardzo. [*proʃe bardz͡o*]
Here you are (*giving something*).	
Thank you (very much).	Dziękuję (bardzo). [*dz͡ʑeŋkuye (bardz͡o)*]
I'm (very) sorry. Excuse me.	Przepraszam (bardzo). [*pʃepraʃam (bardz͡o)*]
Not at all.	Nic nie szkodzi. [*neet͡s ńe ʃkodz͡ʑee*]
With pleasure.	Z przyjemnością. [*spʃiyemnoçt͡ɕõ*]
I'm very pleased (to meet you).	Bardzo mi miło (pana/panią* poznać). [*bardz͡o mee meewo (pana/pańõ poznat͡ɕ)*]
Nice to see you.	Cieszę się, że pana/panią widzę. [*t͡ɕeʃẽ ɕe ʒe pana/pańõ veedz͡e*]
How are you?	Jak się pan/pani miewa? [*yak ɕe pan/pańee myeva*]

---

* *We use "pan" when we address a man and "pani" when we address a woman. In Polish, as in French, we have a familiar form of address "ty" (compare French "tu") and a polite form "pan, pani" (compare French "vous").*

Very well, thank you.	Dziękuję, dobrze. [*dʑeŋkuye dobʒe*]
Very well.	Doskonale. [*doskonale*]
What's new?	Co u ciebie słychać? [*tso u tɕebye swihatɕ*]
Thank you for the information.	Dziękuję za informację. [*dʑeŋkuye za eenformatsye*]
Thank you for the gift.	Dziękuję za upominek. [*dʑeŋkuye za upomeenek*]
Thank you for the invitation.	Dziękuję za zaproszenie. [*dʑeŋkuye za zaproʃeńe*]
May I introduce Mr... (Mrs..., Miss...)?	Czy mogę przedstawić pana/panią...? [*tʃi moge pʃetstaveetɕ pana/pańõ...*]
(This is) Mr... (Mrs..., Miss...).	(To jest) pan/pani. [*(to yest) pan/pańee...*]
Pleased to meet you.	Miło mi pana/panią poznać. [*meewo mee pana/pańõ poznatɕ*]
What is your name?	Jak pana/pani nazwisko? [*yak pana/pańee nazveesko*]
	Jak się pan/pani nazywa? [*yak ɕe pan/pańee naziva*]

What is your address?	Jaki jest pana/pani adres? [*yakee yest pana/pańee adres*]
Do you smoke?	Czy pan/pani pali? [*tʃi pan/pańee palee*]
Can I get you something?	Czy mogę pana/panią czymś poczęstować? [*tʃi moge pana/pańõ tʃimç potʃēstovatç*]
Can I invite you for a cup of coffee?	Czy mogę zaprosić pana/panią na kawę? [*tʃi moge zaproçeetç pana/pańõ na kave*]
Can I invite you for supper?	Czy mogę zaprosić pana/panią na kolację? [*tʃi moge zaproçeetç pana/pańõ na kolatsye*]

USEFUL PHRASES

Yes.	Tak.
	[*tak*]
No.	Nie.
	[*ńe*]
Good. All right.	Dobrze.
	[*dobʒe*]
Please. Here you are.	Proszę.
	[*proʃe*]
Thank you.	Dziękuję.
	[*d͡ʑeŋkuye*]
I'm sorry. Excuse me.	Przepraszam.
	[*pʃepraʃam*]
Please come in.	Proszę wejść.
	[*proʃe veyçt͡ɕ*]
I came from...	Przyjechałem/przyjecha-łam* z...
	[*pʃiyehawem/pʃiyehawam z...*]

---

* *A man says* "przyjechałem", *a woman says* "przyjechałam"; *in the Polish Past Tense there is a different ending for masculine and feminine gender. The masculine gender always precedes the feminine gender.*

I'm English.	Jestem Anglikiem/ Angielką.
	[*yestem angleekyem/ angyelkō*]
My name is...	Nazywam się...
	[*nazivam çe...*]
My first name is...	Mam na imię...
	[*mam na eemye...*]
I'm staying	Mieszkam
	[*myeʃkam*]
in a hotel	w hotelu
	[*fhotelu*]
in a motel	w motelu
	[*vmotelu*]
at a camp site	na kempingu
	[*na kempeengu*]
in ... street	na ulicy...
	[*na uleetsi...*]
with my relatives (family)	u krewnych (rodziny)
	[*u krevnih (rodzeeni)*]
with my friends.	u znajomych.
	[*u znayomih*]
Here is	Oto
	[*oto*]
my address	mój adres
	[*muy adres*]
my visiting card	moja wizytówka
	[*moya veezitufka*]
my telephone number.	mój numer telefonu.
	[*muy numer telefonu*]

14

I got lost.	Zgubiłem/zgubiłam się.
	[zgubeewem/zgubeewam çe]
Where is	Gdzie jest
	[gdʒe yest]
the police station	komenda policji
	[komenda poleetŝyee]
the hotel...	hotel...
	[hotel...]
...street?	ulica...?
	[uleetŝa...]
Which direction should I take?	W którą stronę mam iść?
	[fkturõ strone mam eeçtç]
To the left.	W lewo.
	[vlevo]
To the right.	W prawo.
	[fpravo]
Straight ahead.	Prosto.
	[prosto]
Back there.	Z powrotem.
	[spovrotem]
How can I get there?	Czym tam dojechać?
	[tʃim tam doyehatç]
How far is it to...?	Jak daleko do...?
	[yak daleko do...]
It's near here.	To jest blisko stąd.
	[to yest bleesko stont]
Where is it?	Gdzie to jest?
	[gdʒe to yest]

15

Please show me on this town map	Proszę pokazać mi na planie miasta [*profe pokazatç mee na plańe myasta*]
...street	ulicę... [*uleetse...*]
the museum	muzeum [*muzewum*]
the church	kościół [*koçtçuw*]
the park.	park. [*park*]
I'm tired.	Jestem zmęczony/zmęczo-na.* [*yestem zmentfoni/ zmentfona*]
I'm hungry.	Jestem głodny/głodna. [*yestem gwodni/gwodna*]
Where's the toilet?	Gdzie jest toaleta? [*gdże yest toaleta*]
I'm looking for...	Szukam... [*fukam*]
Can you help me?	Czy może mi pan/pani pomóc? [*tfi moʒe mee pan/pańee pomufs*]

---

* *Polish adjectives take different gender endings: "zmęczony" is masculine and "zmęczona" is feminine gender.*

Please call a taxi.	Proszę zawołać taksówkę.
	[*profe zavowatç taksufke*]
Please wait a minute.	Proszę chwilkę zaczekać.
	[*profe hfeelke zatfekatç*]
I'll be back shortly.	Zaraz przyjdę.
	[*zaras pfiyde*]
Please sit down.	Proszę siadać.
	[*profe çadatç*]
I don't know.	Nie wiem.
	[*ńe vyem*]
I don't understand.	Nie rozumiem.
	[*ńe rozumyem*]
I can't.	Nie mogę.
	[*ńe moge*]
Excuse me, where's the British Embassy?	Przepraszam, gdzie jest ambasada brytyjska?
	[*pfeprafam gdźe yest ambasada britiyska*]
Excuse me, where's the British Council?	Przepraszam, gdzie jest British Council?
	[*pfeprafam gdźe yest British Council*]
Can you give me the telephone number of the British Embassy?	Czy mógłby pan/mogłaby pani podać mi telefon ambasady brytyjskiej?
	[*tfi mugbi pan/mogwabi pańee podatç mee telefon ambasadi britiyskyey*]

PROBLEMS OF LANGUAGE CONTACT

I came from...	Przyjechałem/przyjecha-łam z... [*pʃiyehawem/pʃiyehawam z...*]
I'm...	Jestem... [*yestem...*]
Can you speak	Czy pan/pani mówi [*tʃi pan/pańee muvee*]
English	po angielsku [*po aŋgyelsku*]
French	po francusku [*po frantsusku*]
German	po niemiecku [*po ńemyetsku*]
Italian	po włosku [*po vwosku*]
Polish	po polsku [*po polsku*]
Russian	po rosyjsku [*po rosiysku*]
Spanish?	po hiszpańsku? [*po heeʃpańsku*]

I can't speak Polish.	Nie mówię po polsku. [*ńe muvye po polsku*]
I don't understand.	Nie rozumiem. [*ńe rozumyem*]
Please speak slower.	Proszę mówić wolniej. [*proʃe muveetɕ volńey*]
Could you repeat that?	Czy mógłby pan/mogłaby pani powtórzyć? [*tʃi mugbi pan/mogwabi pańee poftuʒitɕ*]
Please write it down.	Proszę mi to napisać. [*proʃe mee to napeesatɕ*]
How is it pronounced?	Jak to się czyta? [*yak to ɕe tʃita*]
Could you spell it, please?	Proszę to przeliterować. [*proʃe to pʃeleeterovatɕ*]
Please show it to me.	Proszę mi to pokazać. [*proʃe mee to pokazatɕ*]
What is that called in Polish?	Jak to się nazywa po polsku? [*yak to ɕe naziva po polsku*]
Please write down at what time.	Proszę napisać, o której godzinie. [*proʃe napeesatɕ o kturey godʒeeńe*]
Please write down how much it costs.	Proszę napisać, ile to kosztuje. [*proʃe napeesatɕ eele to koʃtuye*]

TIME

time	czas	[*tʃas*]
hour	godzina	[*godʑeena*]
minute	minuta	[*meenuta*]
second	sekunda	[*sekunda*]

* * *

What's the time?
Która godzina?
[*ktura godʑeena*]

It's eight o'clock.
Jest ósma.
[*yest usma*]

It's a quarter to eight.
Za kwadrans ósma.
[*za kfadrās usma*]

It's half past seven.
Wpół do ósmej.
[*fpuw do usmey*]

It's ten minutes past eight.
Dziesięć po ósmej.
[*dʑeҫeńҫ po usmey*]

At what time?
O której godzinie?
[*o kturey godʑeeńe*]

In two hours.
Za dwie godziny.
[*za dvye godʑeeni*]

Between nine and ten o'clock.
Między dziewiątą a dziesiątą.
[*myendʑi dʑevyontõ a dʑeҫontõ*]

20

When?	Kiedy?	
	[*kyedi*]	
In ten minutes.	Za dziesięć minut.	
	[*za dźeçeńtç meenut*]	
How long will it take?	Jak długo to potrwa?	
	[*yak dwugo to potrfa*]	
morning; in the morning	rano	[*rano*]
this morning	dziś rano	[*dźeeç rano*]
before noon	przed połu- dniem	[*pʃet powu- dńem*]
at noon	w południe	[*fpowudńe*]
in the afternoon	po południu	[*po powudńu*]
evening	wieczór	[*vyetʃur*]
in the evening	wieczorem	[*vyetʃorem*]
night	noc	[*notŝ*]
at night	w nocy	[*vnotsi*]
day	dzień	[*dźeń*]
during the day	w dzień	[*vdźeń*]
week	tydzień	[*tidźeń*]
this week	w tym tygodniu	[*ftim tigodńu*]
in a week	za tydzień	[*za tidźeń*]
month	miesiąc	[*myeçontŝ*]
this month	w tym miesiącu	[*ftim myeçontŝu*]
in a month	za miesiąc	[*za myeçontŝ*]
year	rok	[*rok*]
this year	w tym roku	[*ftim roku*]

in a year	za rok	[za rok]
last year	w zeszłym roku	[vzeʃwim roku]
next year	w przyszłym roku	[fpʃiʃwim roku]
season	pora roku	[pora roku]
today	dziś	[d͡ʐeeç]
yesterday	wczoraj	[ftʃoray]
the day before yesterday	przedwczoraj	[pʃetftʃoray]
tomorrow	jutro	[yutro]
the day after tomorrow	pojutrze	[poyut-ʃe]

Seasons

spring	wiosna	[vyosna]
summer	lato	[lato]
autumn	jesień	[yeçeń]
winter	zima	[ʐeema]

Months

January	styczeń*	[stit͡ʃeń]
February	luty	[luti]
March	marzec	[maʐet͡s]
April	kwiecień	[kfyet͡çeń]
May	maj	[may]

---

* Notice that the months and the days of the week are not capitalized.

June	czerwiec	[*tʃervyets͡*]
July	lipiec	[*leepyets͡*]
August	sierpień	[*çerpyeń*]
September	wrzesień	[*vʒeçeń*]
October	październik	[*paźd͡zerńeek*]
November	listopad	[*leestopat*]
December	grudzień	[*grud͡zeń*]

Days of the week

Monday	poniedziałek	[*pońed͡zawek*]
Tuesday	wtorek	[*ftorek*]
Wednesday	środa	[*çroda*]
Thursday	czwartek	[*tʃfartek*]
Friday	piątek	[*pyontek*]
Saturday	sobota	[*sobota*]
Sunday	niedziela	[*ńed͡zela*]

Cardinal points

east	wschód	[*fshut*]
in the east	na wschodzie	[*na fshod͡ze*]
north	północ	[*puwnots͡*]
in the north	na północy	[*na puwnots͡i*]
south	południe	[*powudńe*]
in the south	na południu	[*na powudńu*]
west	zachód	[*zahut*]
in the west	na zachodzie	[*na zahod͡ze*]

colour	kolor	[*kolor*]
beige	beżowy	[*beʒovi*]
black	czarny	[*tʃarni*]
blue	niebieski	[*ńebyeskee*]
brown	brązowy	[*brõzovi*]
dark	ciemny	[*tɕemni*]
gold	złoty	[*zwoti*]
green	zielony	[*ʒeloni*]
grey	szary	[*ʃari*]
light	jasny	[*yasni*]
navy blue	granatowy	[*granatovi*]
orange	pomarańczowy	[*pomarańtʃovi*]
pink	różowy	[*ruʒovi*]
red	czerwony	[*tʃervoni*]
silver	srebrny	[*srebrni*]
violet	fioletowy	[*fyoletovi*]
white	biały	[*byawi*]
yellow	żółty	[*ʒuwti*]
checked	w kratkę	[*fkratke*]
plain	gładki	[*gwatkee*]
polka dot	w groszki	[*vgroʃkee*]
striped	w paski	[*fpaskee*]

MEASURES AND WEIGHTS

measure	miara	*[myara]*
centimetre	centymetr	*[tsentimetr]*
metre	metr	*[metr]*
kilometre	kilometr	*[keelometr]*

How many metres high?
Ile metrów wysokości?
[eele metruf visokoçtçee]

How many metres long?
Ile metrów długości?
[eele metruf dwugoçtçee]

How many kilometres is it to...?
Ile kilometrów jest do...?
[eele keelometruf yest do...]

How many kilometres per hour?
Ile kilometrów na godzinę?
[eele keelometruf na godżeene]

capacity	objętość	*[obyentoçtç]*
depth	głębokość	*[gwembokoçtç]*
distance	odległość	*[odlegwoçtç]*
height	wysokość	*[visokoçtç]*
length	długość	*[dwugoçtç]*
speed	szybkość	*[ʃipkoçtç]*
width	szerokość	*[ʃerokoçtç]*

* * *

weight	waga	[*vaga*]
gram	gram	[*gram*]
10 grams	dekagram*	[*dekagram*]
200 grams	dwadzieścia deka	[*dvadʑeçtça deka*]
kilogram	kilogram	[*keelogram*]
two kilos	dwa kilogramy	[*dva keelogrami*]
half a kilo	pół kilograma	[*puw keelograma*]
a quarter of a kilogram	ćwierć kilograma	[*tçfyertç keelograma*]

How much does it weigh?	Ile to waży? [*eele to vaʒi*]
How many kilograms?	Ile kilogramów? [*eele keelogramuf*]

* * *

litre	litr	[*leetr*]
a quarter of a litre	ćwierć litra	[*tçfyertç leetra*]
half a litre	pół litra	[*puw leetra*]
two litres	dwa litry	[*dva leetri*]

How many litres?	Ile litrów? [*eele leetruf*]

---

* *The measure of weight commonly used in Poland (most frequently in the form "deka").*

26

bag	torebka	[*torepka*]
bottle	butelka	[*butelka*]
box	pudełko	[*pudewko*]
package	paczka	[*patʃka*]
pair	para	[*para*]
one piece	jedna sztuka	[*yedna ʃtuka*]
two pieces	dwie sztuki	[*dvye ʃtukee*]
roll	rolka	[*rolka*]
several	kilka	[*keelka*]
tin; can	puszka	[*puʃka*]
tube	tubka	[*tupka*]

1	one	jeden [*yeden*]
	first	pierwszy [*pyerʃi*]
2	**two**	dwa [*dva*]
	second	drugi [*drugee*]
3	**three**	trzy [*t-ʃi*]
	third	trzeci [*t-ʃetçee*]
4	**four**	cztery [*tʃteri*]
	fourth	czwarty [*tʃfarti*]
5	**five**	pięć [*pyeńtç*]
	fifth	piąty [*pyonti*]
6	**six**	sześć [*ʃeçtç*]
	sixth	szósty [*ʃusti*]

7	seven	siedem [çedem]
	seventh	siódmy [çudmi]
8	eight	osiem [oçem]
	eighth	ósmy [usmi]
9	nine	dziewięć [dʑevyeńtʂ]
	ninth	dziewiąty [dʑevyonti]
10	ten	dziesięć [dʑeçeńtʂ]
	tenth	dziesiąty [dʑeçonti]
11	eleven	jedenaście [yedenaçtʂe]
	eleventh	jedenasty [yedenasti]
12	twelve	dwanaście [dvanaçtʂe]
	twelfth	dwunasty [dvunasti]
13	thirteen	trzynaście [t-ʃinaçtʂe]
	thirteenth	trzynasty [t-ʃinasti]

14	**fourteen**	czternaście [*tʃternaɕtɕe*]
	fourteenth	czternasty [*tʃternasti*]
15	**fifteen**	piętnaście [*pyetnaɕtɕe*]
	fifteenth	piętnasty [*pyetnasti*]
16	**sixteen**	szesnaście [*ʃesnaɕtɕe*]
	sixteenth	szesnasty [*ʃesnasti*]
17	**seventeen**	siedemnaście [*ɕedemnaɕtɕe*]
	seventeenth	*siedemnasty* [*ɕedemnasti*]
18	**eighteen**	osiemnaście [*oɕemnaɕtɕe*]
	eighteenth	osiemnasty [*oɕemnasti*]
19	**nineteen**	dziewiętnaście [*dʑevyetnaɕtɕe*]
	nineteenth	dziewiętnasty [*dʑevyetnasti*]
20	**twenty**	dwadzieścia [*dvadʑeɕtɕa*]
	twentieth	dwudziesty [*dvudʑesti*]

21	twenty-one	dwadzieścia jeden [*dvadżeçtça yeden*]
	twenty-first	dwudziesty pierwszy [*dvudżesti pyerʃi*]
22	twenty-two	dwadzieścia dwa [*dvadżeçtça dva*]
	twenty-second	dwudziesty drugi [*dvudżesti drugee*]
30	thirty	trzydzieści [*t-ʃidżeçtçee*]
	thirtieth	trzydziesty [*t-ʃidżesti*]
40	forty	czterdzieści [*tʃterdżeçtçee*]
	fortieth	czterdziesty [*tʃterdżesti*]
50	fifty	pięćdziesiąt [*pyeńdżeçont*]
	fiftieth	pięćdziesiąty [*pyeńdżeçonti*]
60	sixty	sześćdziesiąt [*ʃeçdżeçont*]
	sixtieth	sześćdziesiąty [*ʃeçdżeçonti*]
70	seventy	siedemdziesiąt [*çedemdżeçont*]
	seventieth	siedemdziesiąty [*çedemdżeçonti*]

80	eighty	osiemdziesiąt [oçemdźeçont]
	eightieth	osiemdziesiąty [oçemdźeçonti]
90	ninety	dziewięćdziesiąt [dźevyeńdźeçont]
	ninetieth	dziewięćdziesiąty [dźevyeńdźeçonti]
100	one hundred	sto [sto]
	one hundredth	setny [setni]
200	two hundred	dwieście [dvyeçćçe]
300	three hundred	trzysta [t-ʃista]
400	four hundred	czterysta [tʃterista]
500	five hundred	pięćset [pyeńćçset]
600	six hundred	sześćset [ʃeyset]
700	seven hundred	siedemset [çedemset]
800	eight hundred	osiemset [oçemset]
900	nine hundred	dziewięćset [dźevyeńćçset]

1000 one thousand	tysiąc	*[tiçonts]*
one thousandth	tysięczny	*[tiçentʃni]*
2000 two thousand	dwa tysiące	*[dva tiçontse]*
5000 five thousand	pięć tysięcy	*[pyeńtç tiçentsi]*
10 000 ten thousand	dziesięć tysięcy	*[dźeçeńtç tiçentsi]*
100 000 one hundred thousand	sto tysięcy	*[sto tiçentsi]*
one hundred thousandth	stutysięczny	*[stutiçentʃni]*
1 000 000 one million	milion	*[meelyon]*
one millionth	milionowy	*[meelyonovi]*

Your passport, please.

Proszę o paszport.
[*proʃe o paʃport*]

Have you got anything to declare?

Czy ma pan/pani coś do oclenia?
[*tʃi ma pan/pańee tsoç do otśleńa*]

I have nothing to declare.

Nie mam nic do oclenia.
[*ńe mam ńets do otśleńa*]

Have you got any money on you?

Czy ma pan/pani przy sobie jakieś pieniądze?
[*tʃi ma pan/pańee pʃi sobye yakyeç pyeńondże*]

Which is your luggage?

Który bagaż należy do pana/pani?
[*kturi bagaʃ naleʒi do pana/pańee*]

Whose suitcase is this?

Czyja to walizka?
[*tʃiya to valeeska*]

Whose bag is this?

Czyja to torba?
[*tʃiya to torba*]

Please open your suitcase.

Proszę otworzyć walizkę.
[*proʃe otfoʒitç valeeske*]

What's this?

Co to jest?
[*tso to yest*]

These are my personal belongings.	To są rzeczy osobiste.
	[to sõ ʒetʃi osobeeste]
What else have you got?	Co pan/pani ma jeszcze?
	[tʃo pan/panee ma yeʃtʃe]
These are gifts.	To są prezenty.
	[to sõ prezenti]
How much alcohol have you got?	Ile alkoholu pan/pani wiezie?
	[eele alkoholu pan/panee vyeʒe]
This is not allowed.	Tego przewozić nie wolno.
	[tego pʃevoʒeetç ńe volno]
I've got a permit.	Mam pozwolenie.
	[mam pozvoleńe]
You'll have to pay duty.	Trzeba zapłacić cło.
	[t-ʃeba zapwatçeetç tʃwo]
The duty will be...	Cło wynosi...
	[tʃwo vinoçee...]
I'm in transit.	Jadę tranzytem.
	[yade trãzitem]
Have you got a transit visa?	Czy ma pan/pani wizę tranzytową?
	[tʃi ma pan/panee veeze trãzitovõ]
Your visa is not valid.	Pana/pani wiza jest nieważna.
	[pana/panee veeza yest ńevaʒna]
Where can I extend my visa?	Gdzie mogę przedłużyć wizę?
	[gdʒe moge pʃedwuʒitç veeze]

Where can I change money?	Gdzie można wymienić pieniądze?
	[gdźe mozna vimyeńeetç pyeńondźe]
Where can I cash this cheque?	Gdzie mogę zrealizować ten czek?
	[gdźe moge zrealeezovatç ten tʃek]

* * *

border	granica	[grańeetsa]
border crossing	przejście graniczne	[pʃeyçtçe grańeetʃne]
form	formularz	[formulaʃ]
passport	paszport	[paʃport]
passport control	odprawa paszportowa	[otprava paʃportova]
permit	zezwolenie	[zezvoleńe]
visa	wiza	[veeza]

KONTROLA PASZPORTÓW	passport control
URZĄD CELNY	customs office
ODPRAWA CELNA	customs clearance
KANTOR WYMIANY WALUT	exchange
POLICJA	police

TRANSPORTATION

Train

Where is the railway station?

Gdzie jest dworzec?
[*gdźe yest dvoʒeʦ*]

How can I get there?

Czym tam dojechać?
[*ʧim tam doyehaʨ*]

Where are the ticket offices?

Gdzie są kasy biletowe?
[*gdźe sō kasi beeletove*]

Where are the ticket offices for commuter trains?

Gdzie są kasy podmiejskie?
[*gdźe sō kasi podmyeyskye*]

Second (first) class to..., please.

Proszę bilet drugiej (pierwszej) klasy do...
[*proʃe beelet drugyey (pyerʃey) klasi do...*]

A reserved seat, please.

Proszę bilet z miejscówką.
[*proʃe beelet zmyeysʦufkō*]

A sleeper ticket to... for the 20th of May, please.

Proszę sypialny do... na 20 maja.
[*proʃe sipyalni do... na dvudźestego maya*]

A couchette ticket to... for the 10th of July, please.	Proszę kuszetkę do... na 10 lipca.
	[*proʃe kuʃetke do... na dʑe-çontego leeptʃa*]
A single ticket to... on a fast/express train, please.	Proszę bilet na pociąg pośpieszny/ekspres do...
	[*proʃe beelet na potɕoŋk poçpyeʃni/ekspres do...*]
A single ticket to... on a slow train, please.	Proszę bilet na pociąg oso-bowy do...
	[*proʃe beelet na potɕoŋk osobovi do...*]
A single with a 50% reduction, please.	Proszę bilet ze zniżką 50%.
	[*proʃe beelet ze zneeʃkõ pyeńdʑeçont protsent*]
A return to..., please.	Proszę bilet powrotny do...
	[*proʃe beelet povrotni do...*]
How much is a single to...?	Ile kosztuje bilet do...?
	[*eele koʃtuye beelet do...*]
Are there reduced rates for students?	Czy jest zniżka dla studen-tów?
	[*tʃi yest zneeʃka dla studentuf*]
Are there reduced rates for children?	Czy jest zniżka dla dzieci?
	[*tʃi yest zneeʃka dla dʑetɕee*]
A fast train supple-ment, please.	Dopłata na pociąg pośpieszny.
	[*dopwata na potɕoŋk poçpyeʃni*]

How long is this ticket valid?	Jak długo ważny jest ten bilet? [*yak dwugo vaʒni yest ten beelet*]
Where is the information office?	Gdzie jest informacja? [*gd̼e yest eenformatsya*]
Where is the cafeteria?	Gdzie jest bufet? [*gd̼e yest bufet*]
Where is the toilet?	Gdzie jest toaleta? [*gd̼e yest toaleta*]
Where is the left-luggage office?	Gdzie jest przechowalnia bagażu? [*gd̼e yest pʃehovalńa bagaʒu*]
What is the best connection to...?	Jakie jest najlepsze połączenie do...? [*yakye yest naylepʃe powontʃeńe do...*]
Is this a direct connection?	Czy to jest bezpośrednie połączenie? [*tʃi to yest bespoçredńe powontʃeńe*]
Do I have to change trains?	Czy muszę się przesiadać? [*tʃi muʃe çe pʃeçadatç*]
Where do I have to change trains?	Gdzie muszę się przesiąść? [*gd̼e muʃe çe pʃeçońçtç*]
Do I have an immediate connection?	Czy zaraz mam połączenie? [*tʃi zaras mam powontʃeńe*]

39

What platform does the train to... leave from?	Z którego peronu odchodzi pociąg do...? [*skturego peronu othodźee potçoŋk do...*]
Where is the train to...?	Gdzie stoi pociąg do...? [*gdźe stoyee potçoŋk do...*]
When will the train from... arrive?	Kiedy przyjedzie pociąg z...? [*kyedi pſiyedźe potçoŋk z...*]
Is the train from... late?	Czy pociąg z... ma opóźnienie? [*tſi potçoŋk z... ma opuźńeńe*]
Does the train have	Czy w pociągu jest [*tſi fpotçoŋgu yest*]
a sleeping-car	wagon sypialny [*vagon sipyalni*]
a dining-car	wagon restauracyjny [*vagon restawratsiyni*]
a through carriage to...	wagon bezpośredni do... [*vagon bespoçredńee do...*]
a couchette car?	wagon z kuszetkami? [*vagon skuſetkamee*]
Where can I deposit my luggage?	Gdzie mogę nadać bagaż? [*gdźe moge nadatç bagaſ*]
Please take my luggage	Proszę zanieść mój bagaż [*proſe zańeçtç muy bagaſ*]
to the train to...	do pociągu do... [*do potçoŋgu do...*]

to platform...	na peron... [*na peron...*]
to the left-luggage office	do przechowalni [*do pʃehovalnee*]
to the taxi.	do taksówki. [*do taksufkee*]
I'd like to deposit my suitcase.	Chciałbym/chciałabym zostawić walizkę. [*htɕawbim/htɕawabim zostaveetɕ valeeske*]
I'd like to collect my suitcase.	Chciałbym/chciałabym odebrać walizkę. [*htɕawbim/htɕawabim odebratɕ valeeske*]
How much do I owe you?	Ile płacę? [*eele pwatse*]
Excuse me, is this seat free?	Przepraszam, czy to miejsce jest wolne? [*pʃeprafam tʃi to myeystse yest volne*]
Are there any free seats here?	Czy są tutaj wolne miejsca? [*tʃi sõ tutay volne myeystsa*]
Can I put my suitcase here?	Czy mogę tu położyć (postawić) walizkę? [*tʃi moge tu powoʒitɕ (postaveetɕ) valeeske*]
Can I open the window?	Czy mogę otworzyć okno? [*tʃi moge otfoʒitɕ okno*]

Can I smoke?	Czy mogę zapalić?
	[tʃi moge zapaleetç]
Have a nice trip!	Przyjemnej podróży!
	[pʃiyemney podruʒi]

INFORMACJA	enquiries; information office
BIURO PODRÓŻY	travel agency
DWORZEC	station
PERON	platform
TOR	track
ODJAZD	departure
PRZYJAZD	arrival
POCZEKALNIA	waiting room
TOALETY	toilets
WOLNY	free; vacant
ZAJĘTY	occupied; engaged
DLA PALĄCYCH	smokers
DLA NIEPALĄCYCH	non-smokers

* * *

car; carriage	wagon	[vagon]
couchette car	z kuszetkami	[skuʃetkamee]
dining-car	restauracyjny	[restawratsiyni]
luggage van	bagażowy	[bagaʒovi]

sleeping-car	sypialny	[sipyalni]
compartment	przedział	[pʃedʒaw]
conductor; ticket collector	konduktor	[konduktor]
luggage	bagaż	[bagaʃ]
collecting the luggage	odbiór bagażu	[odbyur bagaʒu]
depositing the luggage	nadawanie bagażu	[nadavańe bagaʒu]
left-luggage office	przechowalnia bagażu	[pʃehovalńa bagaʒu]
luggage control	kontrola bagażu	[kontrola bagaʒu]
luggage receipt	kwit bagażowy	[kfeet bagaʒovi]
reserved seat	miejscówka	[myestsufka]
station	dworzec; stacja	[dvoʒets; statsya]
ticket	bilet	[beelet]
reduced ticket	bilet ze zniżką	[beelet ze zńeeʃkō]
ticket office; booking office	kasa	[kasa]
timetable	rozkład jazdy	[roskwat yazdi]
train	pociąg	[potçoŋk]
direct train	bezpośredni	[bespoçredńee]
express train	ekspresowy	[ekspresovi]

fast train	pośpieszny	[pośpyeʃni]
slow train	osobowy	[osobovi]
trip	podróż	[podruʃ]
business trip	służbowa	[swuʒbova]
tourist trip	turystyczna	[turistitʃna]

Plane

Where's the LOT office?	Gdzie jest biuro LOT-u?
	[gdʑe yest byuro lotu]
Where's the British Airways office?	Gdzie jest biuro Brytyjskich Linii Lotniczych?
	[gdʑe yest byuro britiyskeeh leeńee lotńeetʃih]
Is it far from here?	Czy to daleko stąd?
	[tʃi to daleko stont]
How can I get there?	Czym tam dojechać?
	[tʃim tam doyehatɕ]
When does the plane to.. leave?	Kiedy odlatuje samolot do...?
	[kyedi odlatuye samolot do...]
Please write down at what time.	Proszę napisać, o której godzinie.
	[proʃe napeesatɕ o kturey godʑeeńe]
When does the next plane to... leave?	Kiedy odlatuje następny samolot do...?
	[kyedi odlatuye nastempni samolot do...]

How much luggage can I take with me?	Ile bagażu można wziąć ze sobą?
	[eele bagaʒu moʒna vʒońtɕ ze sobō]
How much do I have to pay for each kilo of excess luggage?	Ile się płaci za każdy dodatkowy kilogram?
	[eele ɕe pwaʈɕee za kaʒdi dodatkovi keelogram]
Can I book a ticket to...?	Czy mogę zarezerwować bilet do...?
	[ʈʃi moge zarezervovaʈɕ beelet do...]
I'd like to book a ticket to Kraków for...	Chciałbym/chciałabym zarezerwować bilet do Krakowa na dzień...
	[hʈɕawbim/hʈɕawabim zarezervovaʈɕ beelet do krakova na dʑeń...]
Can I get a plane ticket to Gdańsk	Czy dostanę bilet na samolot do Gdańska
	[ʈʃi dostane beelet na samolot do gdańska]
for today	na dziś
	[na dʑeeɕ]
for tomorrow	na jutro
	[na yutro]
for next Tuesday?	na przyszły wtorek?
	[na pʃiʃwi ftorek]

I have a return to..., please OK it for the 5th of July.	Mam bilet powrotny do..., proszę OK na 5 lipca.
	[mam beelet povrotni do..., profe okey na pyontego leeptsa]
Please cancel my reservation to...	Chciałbym/chciałabym odwołać rezerwację do...
	[htçawbim/htçawabim odvovwatç rezervatsye do...]
I'd like to change my reservation to...	Chciałbym/chciałabym zmienić rezerwację do...
	[htçawbim/htçawabim zmyeńeetç rezervatsye do...]
How can I get to the airport?	Jak się dostać na lotnisko?
	[yak çe dostatç na lotńeesko]
Where does the airport bus leave from?	Skąd odjeżdża autobus na lotnisko?
	[skont odyeʒdʒa awtobus na lotńeesko]
Where can I buy a ticket for this bus?	Gdzie mogę kupić bilet na ten autobus?
	[gdʒe moge kupeetç beelet na ten awtobus]

* * *

airport	lotnisko	*[lotńeesko]*
air ticket	bilet na samolot	*[beelet na samolot]*
flight	lot	*[lot]*

46

fly	lecieć	[*letɕetɕ*]
helicopter	helikopter	[*heleekopter*]
jet	odrzutowiec	[*od-ʒutovyeʦ*]
land	lądować	[*londovatɕ*]
landing	lądowanie	[*londovańe*]
passenger	pasażer	[*pasaʒer*]
pilot	pilot	[*peelot*]
plane	samolot	[*samolot*]
steward	steward	[*styuart*]
stewardess	stewardesa	[*styuardesa*]
take-off	start	[*start*]
take off	startować	[*startovatɕ*]

LOTNISKO KRAJOWE   domestic airport
LOTNISKO MIĘDZY-   international airport
  NARODOWE

Ship

Where is the port?
: Gdzie jest port?
[*gdʑe yest port*]

Where's the shipping line office?
: Gdzie jest biuro linii żeglugi morskiej?
[*gdʑe yest byuro leeńee ʒeglugee morskyey*]

Where's the harbour?
: Gdzie jest przystań?
[*gdʑe yest pʃistań*]

Does the boat/ferry for... leave from here?	Czy stąd odpływa statek/prom do...? [*tʃi stont otpwiva statek/prom do...*]
When does the boat/ferry for... leave?	Kiedy odpływa statek/prom do...? [*kyedi otpwiva statek/prom do...*]
When is the next boat leaving?	Kiedy odpływa następny statek? [*kyedi otpwiva nastempni statek*]
How long is the trip?	Jak długo trwa rejs? [*yak dwugo trfa reys*]
Is there a cafeteria on the boat?	Czy na statku jest bufet? [*tʃi na statku yest bufet*]
Is lunch (dinner) included in the ticket?	Czy w cenę biletu wliczony jest obiad? [*tʃi ftsene beeletu vleetʃoni yest obyat*]
Where are the deck chairs?	Gdzie są leżaki? [*gdʒe sõ leʒakee*]
I'd like to book a cabin for tomorrow	Chciałbym/chciałabym zamówić na jutro kabinę [*htɕawbim/htɕawabim zamuveetɕ na yutro kabeene*]
a single cabin	jednoosobową [*yednoosobovõ*]

48

a double cabin.	dwuosobową.
	[dvuosobovō]
How much is it?	Ile płacę?
	[eele pwatśe]
Are there reduced rates	Czy są zniżki
	[tśi sō źneeʃkee]
for students	dla studentów
	[dla studentuf]
for children?	dla dzieci?
	[dla dźetçee]

* * *

ferry	prom	[prom]
life-belt	pas ratunkowy	[pas ratunkovi]
life-boat	szalupa	[ʃalupa]
life-buoy	koło ratunkowe	[kowo ratunkove]
life-jacket	kamizelka ratunkowa	[kameezelka ratunkova]
motor-ship	statek motorowy	[statek motorovi]
ocean-going ship	statek dalekomorski	[statek dalekomorskee]
passenger liner	statek pasażerski	[statek pasaʒerskee]
touring boat	statek spacerowy	[statek spatśerovi]

Coach

Where's the coach (bus) station?	Gdzie jest dworzec autobusowy? [*gdʒe yest dvoʒets awtobusovi*]
How can I get there?	Czym tam dojechać? [*tʃim tam doyehatɕ*]
Where's the information office?	Gdzie jest informacja? [*gdʒe yest eenformatsya*]
Is there a bus to...?	Czy jest autobus do...? [*tʃi yest awtobus do...*]
What time does the bus for... leave?	O której godzinie odjeżdża autobus do...? [*o kturey godʒeeńe odyeʒdʒa awtobus do...*]
What time is the next bus?	O której godzinie jest następny autobus? [*o kturey godʒeeńe yest nastempni awtobus*]
Are there any seats on the... o'clock coach to...?	Czy są miejsca do... na godzinę...? [*tʃi sõ myeystsa do... na godʒeene...*]
A single to..., please.	Proszę bilet do... [*proʃe beelet do...*]
What time will we arrive at...?	O której godzinie przyjeżdżamy do...? [*o kturey godʒeeńe pʃiyeʒdʒami do...*]

Where do we stop on the way?	Gdzie się zatrzymujemy po drodze?
	[gdźe çe zat-ʃimuyemi po drodźe]

Car

Rent-a-car office

Where can I rent a car?	Gdzie można wynająć samochód?
	[gdźe można vinayońʨ samohut]
I'd like to rent a car	Chciałbym/chciałabym wynająć samochód
	[hʨawbim/hʨawabim vinayońʨ samohut]
for a week	na tydzień
	[na tidźeń]
with a driver	z kierowcą
	[skyerofʦõ]
without a driver.	bez kierowcy.
	[bes kyerofʦi]
How much is the rental?	Ile kosztuje wynajęcie samochodu?
	[eele koʃtuye vinayeńʨe samohodu]

Parking

Where is a car park?	Gdzie jest parking?
	[gdźe yest parkeeŋk]
Where is the nearest attended car park?	Gdzie jest najbliższy parking strzeżony?
	[gdźe yest naybleeʃ-ʃi parkeeŋk st-ʃeʒoni]
Can I park here?	Czy można tu parkować?
	[tʃi moʒna tu parkovatç]
How long can I park here?	Jak długo mogę tu parkować?
	[yak dwugo moge tu parkovatç]
Can I leave my car here	Czy można tu zostawić auto
	[tʃi moʒna tu zostaveetç awto]
for the night	na noc
	[na nots]
for a week?	na tydzień?
	[na tidźeń]
What are the charges?	Jakie są opłaty?
	[yakye sõ opwati]
Can I leave my trailer (caravan) here?	Czy można tu postawić przyczepę?
	[tʃi moʒna tu postaveetç pʃitʃepe]
How far is it to a camp site from here?	Jak daleko stąd do kempingu?
	[yak daleko stont do kempeeŋgu]

Petrol station

Where is the nearest petrol station?	Gdzie jest najbliższa stacja benzynowa?
	[gdźe yest nayblee∫-∫a sta-ts̊ya benzinova]
How much is a litre of unleaded petrol?	Ile kosztuje litr benzyny bezołowiowej?
	[eele ko∫tuye leetr benzini bezowovyovey]
How much is a litre of diesel oil?	Ile kosztuje litr oleju napę-dowego?
	[eele ko∫tuye leetr oleyu na-pendovego]
Fill her up, please.	Proszę nalać do pełna.
	[pro∫e nalatç do pewna]
Please check the oil.	Proszę sprawdzić poziom oleju.
	[pro∫e spravdźeetç pożom oleyu]
Please check the tyres.	Proszę sprawdzić ciśnienie w oponach.
	[pro∫e spravdźeetç tçeeç-ńeńe voponah]
Please pour some water into the radiator.	Proszę dolać wody do chłodnicy.
	[pro∫e dolatç vodi do hwod-ńeets̊i]

53

Please pour some distilled water into the battery.	Proszę dolać wody destylowanej do akumulatora.
	[*proʃe dolatɕ vodi destilovaney do akumulatora*]
Please clean the windscreen.	Proszę umyć przednią szybę.
	[*proʃe umitɕ pʃednõ ʃibe*]
I would like to wash my car.	Chciałbym umyć samochód.
	[*htɕawbim umitɕ samohut*]
Where can I wash my car?	Gdzie mogę umyć samochód?
	[*gdʑe moge umitɕ samohut*]

STACJA BENZYNOWA	petrol station
BENZYNA BEZOŁO-WIOWA (~~Pb~~)	unleaded petrol
ETYLINA 94	leaded petrol, 94 octanes
ETYLINA 98	leaded petrol, 98 octanes
EURO SUPER	leaded petrol, 95 octanes
OLEJ NAPĘDOWY	diesel
GAZ	gas
MYJNIA	car wash
POMPOWANIE KÓŁ	air

Car accident

I had an accident.	Miałem/miałam wypadek.
	[*myawem/myawam vipadek*]
Please call	Proszę wezwać
	[*proʃe vezvatç*]
the police	policję
	[*poleetsye*]
the ambulance.	pogotowie ratunkowe.
	[*pogotovye ratunkove*]
Please help me.	Proszę mi pomóc.
	[*proʃe mee pomuts*]
Is there any garage nearby?	Czy jest jakiś warsztat w pobliżu?
	[*tʃi yest yakeeç varʃtat fpobleeʒu*]
Where is an authorized Fiat agent?	Gdzie jest autoryzowana stacja obsługi Fiata?
	[*gdʑe yest awtorizovana statsya opswugee fyata*]
I'd like to call the breakdown service.	Chcę wezwać pomoc drogową.
	[*htse vezvatç pomots drogovõ*]
What is the telephone number of the breakdown service?	Jaki jest numer pomocy drogowej?
	[*yakee yest numer pomotsi drogovey*]
My car is in...	Mój samochód jest w...
	[*muy samohut yest v...*]

Could you give me a lift to the garage?	Proszę mnie podwieźć do warsztatu.
	[*proʃe mńe podvyeçtç do varʃtatu*]
Could you tow my car for me?	Czy może pan/pani wziąć mój samochód na hol?
	[*tʃi moʒe pan/pańee vzóńtç muy samohut na hol*]
Your driving license and car papers, please.	Proszę o prawo jazdy i dokumenty samochodowe.
	[*proʃe o pravo yazdi ee dokumenti samohodove*]
Can you be a witness, please?	Czy może pan/pani być świadkiem tego wypadku?
	[*tʃi moʒe pan/pańee bitç çfyatkyem tego vipatku*]
Your name and address, please.	Proszę o nazwisko i adres.
	[*proʃe o nazveesko ee adres*]
It wasn't my fault.	Ja nie jestem winien/winna.
	[*ya ńe yestem veeńen/veenna*]
It was my fault.	Ja jestem winien/winna.
	[*ya yestem veeńen/veenna*]
Could you testify in writing that is was your fault?	Proszę o pisemne oświadczenie o pana/pani winie.
	[*proʃe o peesemne oçfyatʃeńe o pana/pańee veeńe*]

Garage and service station

I don't know what's wrong. It doesn't start.	Nie wiem, co się stało. Nie chce zapalić. [*nye vyem ʦo ɕe stawo | nye hʦʂe zapaleeʧ*]
Please change the wheel.	Proszę wymienić to koło. [*proʃe vimyeńeeʧ to kowo*]
Please charge the battery.	Proszę naładować akumulator. [*proʃe nawadovaʧ akumulator*]
Please clean the sparking plugs.	Proszę oczyścić świece. [*proʃe otʃiʧʧeeʧ ɕfyeʦe*]
Please replace the sparking plugs.	Proszę wymienić świece. [*proʃe vimyeńeeʧ ɕfyeʦe*]
Please adjust the carburettor.	Proszę wyregulować gaźnik. [*proʃe viregulovaʧ gaʑńeek*]
Please check the brakes.	Proszę sprawdzić hamulce. [*proʃe spravd͡ʐeeʧ hamulʦe*]
Please adjust the clutch.	Proszę wyregulować luz sprzęgła. [*proʃe viregulovaʧ lus spʃeŋgwa*]
Please inflate the tyres.	Proszę napompować koła. [*proʃe napompovaʧ kowa*]

57

Please check the indicators.	Proszę sprawdzić kierunkowskazy.
	[*proʃe spravd͡ʒeeʧ kyerunkofskazi*]
Please change the points.	Proszę wymienić przerywacz.
	[*proʃe vimyeńeeʧ pʃerivatʃ*]
It's difficult to start the engine.	Trudno uruchomić silnik.
	[*trudno uruhomeeʧ ʧeelńeek*]
Please change the oil	Proszę wymienić olej
	[*proʃe vimyeńeeʧ oley*]
in the engine	w silniku
	[*fʧeelńeeku*]
in the gearbox	w skrzyni biegów
	[*fskʃińee byeguf*]
in the rear axle.	w tylnym moście.
	[*ftilnim moʧʧe*]
Please change the oil filter.	Proszę wymienić filtr oleju.
	[*proʃe vimyeńeeʧ feeltr oleyu*]
Please change the air filter.	Proszę wymienić filtr powietrza.
	[*proʃe vimyeńeeʧ feeltr povyet-ʃa*]
Please adjust valve clearance.	Proszę wyregulować luz zaworów.
	[*proʃe viregulovaʧ lus zavoruf*]

Could you please weld the silencer?	Czy może pan zespawać tłumik? [t͡ʃi mɔʒe pan zespavat͡ɕ twumeek]
Balance the wheels, please.	Proszę wyważyć koła. [prɔʃe vivaʒit͡ɕ kowa]
There is something wrong with the engine.	Motor źle pracuje. [motor ʒle prat͡suye]
My motor overheats.	Motor się przegrzewa. [motor ɕe pʃegʒeva]
There is a knocking noise coming from the engine.	Silnik stuka. [ɕeelɲeek stuka]
There is a petrol leak.	Benzyna wycieka. [benzina vit͡ɕeka]
Can you repair it?	Czy może pan to naprawić? [t͡ʃi mɔʒe pan to napraveet͡ɕ]
Please wash my car.	Proszę umyć samochód. [prɔʃe umit͡ɕ samohut]
How long will it take?	Jak długo to potrwa? [yak dwugo to potrfa]
How much will that be?	Ile to będzie kosztować? [eele to bend͡ʑe koʃtovat͡ɕ]
When can I collect the car?	Kiedy mogę odebrać auto? [kyedi moge odebrat͡ɕ awto]

* * *

air filter	filtr powietrza	[feeltr povyet-ʃa]
ash-tray	popielniczka	[popyelńeetʃka]
automatic gear-box	automatyczna skrzynia biegów	[awtomatiʃna skʃiña byeguf]
battery	akumulator	[akumulator]
boot	bagażnik	[bagaʒńeek]
brake pedal	pedał hamulca	[pedaw hamul-tsa]
bulb	żarówka	[ʒarufka]
canister	kanister	[kańeester]
car	samochód	[samohut]
carburettor	gaźnik	[gaźńeek]
clutch	sprzęgło	[spʃeŋgwo]
clutch pedal	pedał sprzęgła	[pedaw spʃeŋgwa]
crankshaft	wał korbowy silnika	[vaw korbovi çeelńeeka]
dashboard	tablica rozdziel-cza	[tableetsa rozdʒeltʃa]
distributor	rozdzielacz	[rozdʒelatʃ]
door	drzwi	[dʒvee]
engine; motor	silnik	[çeelńeek]
fan	wentylator	[ventilator]
fan belt	pasek klinowy	[pasek kleenovi]
fire extinguisher	gaśnica	[gaçńeetsa]
front fender; front mudguard	błotnik przedni	[bwotńeek pʃedńee]
fuel gauge	paliwowskaz	[paleevofskas]

60

fuel pump	pompa paliwa	[*pompa paleeva*]
fuse	bezpiecznik	[*bespyetʃneek*]
garage	garaż; warsztat samochodowy	[*garaʃ; varʃtat samohodovi*]
gearbox	skrzynia biegów	[*skʃińa byeguf*]
gear-stick	dźwignia zmiany biegów	[*dʒveegńa zmyani byeguf*]
handbrake	hamulec ręczny	[*hamuleŝ rentʃni*]
handle	klamka drzwi	[*klamka dʒvee*]
headlight	reflektor	[*reflektor*]
heater	grzejnik	[*gʒeyneek*]
horn	klakson	[*klakson*]
ignition coil	cewka zapłonowa	[*ŝefka zapwonova*]
indicator	kierunkowskaz	[*kyerunkofskas*]
interior light	oświetlenie wnętrza	[*oçfyetleńe vnent-ʃa*]
lock	zamek drzwi	[*zamek dʒvee*]
milometer	licznik kilometrów	[*leetʃńeek keelometruf*]
mirror	lusterko	[*lusterko*]
motor; engine	silnik	[*çeelńeek*]
nut	nakrętka	[*nakrentka*]
oil can	olejarka	[*oleyarka*]
oil pump	pompa oleju	[*pompa oleyu*]
petrol	benzyna	[*benzina*]
petrol pump	dystrybutor	[*distributor*]

petrol tank	zbiornik ben- zyny	[*zbyorńeek benzini*]
piston	tłok	[*twok*]
points	przerywacz	[*pʃerivatʃ*]
radiator	chłodnica	[*hwodńeetsa*]
rear fender; rear mudguard	błotnik tylny	[*bwotńeek tilni*]
rear seats	siedzenia tylne	[*çedzeńa tilne*]
safety belt	pas bezpieczeń- stwa	[*pas bespyetʃeń- stfa*]
screw	śruba	[*çruba*]
silencer	tłumik	[*twumeek*]
sparking plug	świeca zapłonowa	[*çfyetsa zapwo- nova*]
speedometer	prędkościo- mierz	[*prentkoçtço- myeʃ*]
starter	rozrusznik	[*rozruʃńeek*]
steering wheel	koło kierownicy	[*kowo kyerov- ńeetsi*]
tools	narzędzia i przybory	[*naʒeńdʒa ee pʃibori*]
tyre	opona	[*opona*]
ventilation	układ wenty- lacji	[*ukwat venti- latsyee*]
wheel	koło	[*kowo*]
windscreen wiper	wycieraczka szyby	[*vitçeratʃka ʃibi*]

GARAŻ	garage
GARAŻ WIELOPOZIOMOWY	car ramp
WARSZTAT SAMOCHODOWY	garage
STACJA OBSŁUGI SAMOCHODÓW	service station
MYJNIA	car wash
PARKING	car park
PARKING STRZEŻONY	attended car park
OPŁATA ZA PARKOWANIE	parking fee
PARKINGOWY	car park attendant
ZEGAR PARKINGOWY	parking meter

ACCOMMODATION

Hotel • Motel • Private rooms

Where's the nearest hotel?

Gdzie jest najbliższy hotel?

[*gdże yest nayblee∫-∫i hotel*]

Is there a hotel near the station?

Czy jest jakiś hotel blisko dworca?

[*t∫i yest yakeeç hotel bleesko dvort͡sa*]

Where is the hotel information office?

Gdzie jest biuro zakwaterowań?

[*gdże yest byuro zakfaterovań*]

Which bus (tram) should I take to get there?

Jakim autobusem (tramwajem) mogę tam dojechać?

[*yakeem awtobusem (tramvayem) moge tam doyehat͡ç*]

I have booked a room, my name is...

Zarezerwowałem / zarezerwowałam pokój, moje nazwisko...

[*zarezervovawem/zarezervovawam pokuy, moye nazveesko...*]

I'd like a room	Proszę pokój
	[proʃe pokuy]
a hotel room	w hotelu
	[fhotelu]
a motel room	w motelu
	[vmotelu]
a private room	w kwaterze prywatnej
	[fkfateʒe privatney]
a room in a bunga-low	w domku kempingowym
	[vdomku kempeeŋgovim]
a room in a youth hostel.	w schronisku młodzieżowym.
	[fshroɲeesku mwodʒeʒovim]
I'd like a room	Proszę pokój
	[proʃe pokuy]
a single room	jednoosobowy
	[yednoosobovi]
a double room	dwuosobowy
	[dvuosobovi]
a three-bed room.	trzyosobowy.
	[t-ʃiosobovi]
I'd like a single for one night.	Proszę nocleg dla jednej osoby.
	[proʃe noʦlek dla yedney osobi]
I'd like a double for one night.	Proszę nocleg dla dwóch osób.
	[proʃe noʦlek dla dvuh osup]
Can I have a room with bath?	Czy dostanę pokój z łazien-ką?
	[tʃi dostane pokuy z waʒen-kõ]

Is there hot water in the room?	Czy w pokoju jest ciepła woda? [*tʃi fpokoyu yest tɕepwa voda*]
Is there an ironing room?	Czy jest prasowalnia? [*tʃi yest prasovalńa*]
Can I borrow an iron?	Czy mogę pożyczyć żelazko? [*tʃi moge poʒitʃitɕ ʒelasko*]
What is the voltage here?	Jakie tu jest napięcie prądu? [*yakye tu yest napyeńtɕe prondu*]
Can I have a look at this room?	Czy mogę obejrzeć ten pokój? [*tʃi moge obeyʒetɕ ten pokuy*]
Do you have another free room?	Czy jest jakiś inny wolny pokój? [*tʃi yest yakeeɕ eenni volni pokuy*]
What's the charge for one night?	Ile płacę za jedną dobę? [*eele pwatɕe za jednõ dobe*]
How much is an overnight stay?	Ile kosztuje nocleg? [*eele koʃtuye notɕlek*]
Is breakfast included in the price?	Czy śniadanie jest wliczone w cenę pokoju? [*tʃi ɕńadańe yest vleetʃone ftɕene pokoyu*]
I'll take this room	Biorę ten pokój [*byore ten pokuy*]
for one day	na jedną dobę [*na yednõ dobe*]

66

for... days	na... dni
	[*na... dńee*]
for one week	na jeden tydzień
	[*na yeden tidże*ń]
for three weeks.	na trzy tygodnie.
	[*na t-ʃi tigodńe*]
Do I pay	Czy płacę
	[*tʃi pwatśe*]
in advance	z góry
	[*zguri*]
while checking out?	przy wyjeździe?
	[*pʃi viyeżdże*]
The key, please.	Poproszę o klucz.
	[*poproʃe o klutʃ*]
Your passport, please.	Poproszę pana/panią o pa- szport.
	[*poproʃe pana/pańõ o pa-ʃport*]
Please fill out this card.	Proszę wypełnić tę kartę.
	[*proʃe vipewńeetç tē karte*]
You can collect your passport	Paszport odbierze pan/pani
	[*paʃport odbyeʒe pan/pańee*]
in an hour	za godzinę
	[*za godżeene*]
tomorrow.	jutro.
	[*yutro*]
Please wake me up at...	Proszę mnie obudzić o... go- dzinie.
	[*proʃe mńe obudżeetç o... go-dżeeńe*]

	Wyjeżdżam dziś wieczorem.
ə-	[viyezdʒam dʑeeç vyetʃorem]
nor-	Wyjeżdżam jutro.
	[viyezdʒam yutro]
ıy bill,	Proszę rachunek.
	[proʃe rahunek]
Plea. this lug- gage do.n.	Proszę znieść mój bagaż na dół. [proʃe zńeçtç muy bagaʃ na duw]
Please order a taxi for me.	Proszę sprowadzić taksówkę. [proʃe sprovadʒeetç tak- sufke]

* * *

Can I have breakfast in my room?	Czy mogę dostać śniadanie do pokoju? [tʃi moge dostatç çńadańe do pokoyu]
Can I have a flower- -vase?	Proszę wazonik na kwiaty. [proʃe vazońeek na kfyati]
In my room there is no	W moim pokoju nie ma [vmoyeem pokoyu ńe ma]
ash-tray	popielniczki [popyelńeetʃkee]
light	światła [çfyatwa]
heating.	ogrzewania. [ogʒevańa]

Can I have a few hangers?	Czy mogę prosić o kilka wieszaków?
	[tʃi moge proçeetç o keelka vyeʃakuf]
Where is the bathroom?	Gdzie jest łazienka?
	[gdʑe yest waʑenka]
Where is the toilet?	Gdzie jest toaleta?
	[gdʑe yest toaleta]
Where is the shower?	Gdzie jest prysznic?
	[gdʑe yest priʃŋeets]
There are no towels in my room.	W moim pokoju nie ma ręczników.
	[vmoyeem pokoyu ŋe ma rentʃŋeekuf]
Please change the towels.	Proszę zmienić ręczniki.
	[proʃe zmyeŋeetç rentʃŋeekee]
There is no water.	Nie ma wody.
	[ŋe ma vodi]
Can I have an extra blanket?	Czy mogę prosić o dodatkowy koc?
	[tʃi moge proçeetç o dodatkovi kots]
Can I have an extra pillow?	Czy mogę dostać jeszcze jedną poduszkę?
	[tʃi moge dostatç yeʃtʃe yednõ poduʃke]
I can't open the window. Please help me.	Nie mogę otworzyć okna. Proszę mi pomóc.
	[ŋe moge otfoʑitç okna | proʃe mee pomuts]

It's too hot.	Jest za gorąco. [*yest za gorontso*]
It's too cold.	Jest za zimno. [*yest za zeemno*]
Can you switch off the heating?	Czy może pan/pani wyłą-czyć ogrzewanie? [*tʃi moʒe pan/panee viwon-tʃitç ogʒevańe*]
Can you bring me	Czy może pan/pani przynieść [*tʃi moʒe pan/panee pʃińeçtç*]
a bottle of mineral water	butelkę wody mineralnej [*butelke vodi meeneral-ney*]
a cup of tea?	szklankę herbaty? [*ʃklanke herbati*]
Can I have this washed?	Czy może pani mi to wy-prać? [*tʃi moʒe panee mee to vi-pratç*]
Can I have	Czy może pani mi wypra-sować [*tʃi moʒe panee mee vipra-sovatç*]
my blouse	bluzkę [*bluske*]
my dress	suknię [*sukńe*]
my suit ironed?	garnitur? [*garńeetur*]

Camp site

Can I rent a bunga-low?	Czy można wynająć domek kempingowy? [*tʃi moʒna vinayóńtɕ domek kempeeŋgovi*]
What's the rate per day?	Ile się płaci za dobę? [*eele ɕe pwatɕee za dobe*]
What's the rate per week?	Ile się płaci za tydzień? [*eele ɕe pwatɕee za tidʒeń*]
Are there cooking fa-cilities here?	Czy można korzystać z ku-chni? [*tʃi moʒna koʒistatɕ skuhńee*]
Is there an additional charge?	Czy się płaci oddzielnie? [*tʃi ɕe pwatɕee od-dʒelńe*]
Can I park my cara-van/trailer here?	Czy można tu postawić przyczepę? [*tʃi moʒna tu postaveetɕ pʃitʃepe*]
Can we put up a tent here?	Czy można tu rozbić na-miot? [*tʃi moʒna tu rozbeetɕ namyot*]
Can I rent	Czy można wypożyczyć [*tʃi moʒna vipoʒitʃitɕ*]
sleeping bags	śpiwory [*ɕpeevori*]
cooking pots	naczynia kuchenne [*natʃińa kuhenne*]

71

air-mattresses	materace nadmuchiwane
	[*materatse nadmuheevane*]
a tent	namiot
	[*namyot*]
folding beds?	łóżka polowe?
	[*wuʃka polove*]
Are there any showers here?	Czy są prysznice?
	[*tʃi sõ priʃńeetse*]
Where are the toilets?	Gdzie są toalety?
	[*gdźe sõ toaleti*]

HOTEL	hotel
MOTEL	motel
KEMPING	camp site
SCHRONISKO	hostel
POKOJE DO WYNAJĘCIA	rooms to let (rent)
RECEPCJA	reception
WINDA	lift; elevator
WODA CIEPŁA	hot water
WODA ZIMNA	cold water
ŁAZIENKA	bath
PRYSZNICE	showers
DLA PANÓW	gentlemen
DLA PAŃ	ladies
TOALETA	toilet

RESTAURANT • BAR • CAFÉ

Can you recommend	Czy może mi pan/pani polecić
	[tʃi moʒe mee pan/pańee poletçeetç]
a good restaurant	dobrą restaurację
	[dobrõ restawratsye]
an inexpensive restaurant	tanią restaurację
	[tańõ restawratsye]
a vegetarian restaurant?	jarską restaurację?
	[yarskõ restawratsye]
I'd like to book a table for four.	Chciałbym/chciałabym zamówić stolik na cztery osoby.
	[htçawbim/htçawabim zamuveetç stoleek na tʃteri osobi]
I've booked a table. My name is...	Zamówiłem/zamówiłam stolik. Moje nazwisko...
	[zamuveewem/zamuveewam stoleek | moye nazveesko...]
Is there a free table in the garden?	Czy jest wolny stolik w ogródku?
	[tʃi yest volni stoleek vogrutku]

73

Is there a free table on the terrace?	Czy jest wolny stolik na tarasie?
	[*tʃi yest volni stoleek na taraçe*]
Is this chair free?	Czy to miejsce jest wolne?
	[*tʃi to myeystse yest volne*]
Could I see the menu, please?	Mogę prosić jadłospis?
	[*moge proçeetç yadwospees*]
Can you recommend something special?	Czy może mi pan/pani polecić coś specjalnego?
	[*tʃi moʒe mee pan/pańee poletçeetç tsoç spetsyalnego*]
Can you tell me what that is?	Czy może mi pan/pani wyjaśnić, co to jest?
	[*tʃi moʒe mee pan/pańee viyaçńeetç tso to yest*]
What is the speciality of this restaurant?	Jaka jest specjalność tej restauracji?
	[*yaka yest spetsyalnoçtç tey restawratsyee*]
When can I have lunch?	Od której godziny można dostać obiad*?
	[*ot kturey godʒeeni moʒna dostatç obyat*]

---

* In Poland meals are served at different times from those in the English-speaking countries. The main meal is lunch and it is served from 1 p.m. to 5 p.m. Breakfast is lighter and it is served from about 8 a.m. until about noon, and supper from 6 p.m. to 8 p.m.

Can I have the set menu?	Proszę obiad firmowy.
	[*profe obyat feermovi*]
I'd like a diet meal.	Proszę danie dietetyczne.
	[*profe dańe dyetetitʃne*]
I'd like my meal that is ready to be served.	Proszę jakieś danie gotowe.
	[*profe yakyeç dańe gotove*]
Bill, please.	Proszę rachunek.
	[*profe rahunek*]

* * *

A bottle of wine, please.	Proszę butelkę wina.
	[*profe butelke veena*]
Two glasses of wine, please.	Proszę dwie lampki wina.
	[*profe dvye lampkee veena*]
One vodka, please.	Proszę jedną wódkę.
	[*profe yednõ vutke*]
Two beers, please.	Proszę dwa piwa.
	[*profe dva peeva*]
Mineral water, please.	Proszę wodę mineralną.
	[*profe vode meeneralnõ*]
Black currant juice, please.	Proszę sok z czarnej porzeczki.
	[*profe sok stʃarney poʒetʃkee*]
Two small (large) coffees, please.	Proszę dwie małe (duże) kawy.
	[*profe dvye mawe (duʒe) kavi*]
Cream for the coffee, please.	Proszę śmietankę do kawy.
	[*profe çmyetanke do kavi*]

A cup of tea, please.	Proszę herbatę.
	[proʃe herbate]
Can you bring me an ash-tray, please.	Czy mogę prosić o popielniczkę?
	[tʃi moge proçeetç o popyelńeetʃke]

* * *

Where is the cloakroom?	Gdzie jest szatnia?
	[gdźe yest ʃatńa]
Where is the toilet?	Gdzie jest toaleta?
	[gdźe yest toaleta]

* * *

ash-tray	popielniczka	[popyelńeetʃka]
bill	rachunek	[rahunek]
bottle	butelka	[butelka]
breakfast	śniadanie	[çńadańe]
cloakroom	szatnia	[ʃatńa]
cup	filiżanka	[feeleeʒanka]
decanter	karafka	[karafka]
fork	widelec	[veedeletś]
glass	kieliszek	[kyeleeʃek]
glass (tumbler)*	szklanka	[ʃklanka]
knife	nóż	[nuʃ]
lunch	obiad	[obyat]

---

* There are two kinds of glasses in Poland: the bigger tumblers ("szklanki") are for serving tea and coffee (rather than cups) and the smaller glasses ("kieliszki") are for serving hard liquors.

matches	zapałki	[*zapawkee*]
meal; dish	danie	[*dańe*]
menu	jadłospis	[*yadwospees*]
napkin	serwetka	[*servetka*]
plate	talerz	[*taleʃ*]
salt-cellar	solniczka	[*solńeeʧka*]
saucer	talerzyk	[*taleʒik*]
spoon	łyżka	[*wiʃka*]
sugar-bowl	cukiernica	[*ʦukyerńeeʦa*]
supper	kolacja	[*kolaʦya*]
table	stół	[*stuw*]
table-cloth	obrus	[*obrus*]
teaspoon	łyżeczka	[*wiʒeʧka*]
tip	napiwek	[*napeevek*]
toothpick	wykałaczka	[*vikawaʧka*]

BAR	bar
BAR MLECZNY*	milk bar
KAWIARNIA	café
PIJALNIA PIWA	beer place
RESTAURACJA	restaurant
ZAJAZD	inn
SAMOOBSŁUGA	self-service

---

* A self-service bar where mostly meatless food is served.

Polish cuisine, although rife with foreign influence, notably French, Italian, German and Oriental, has always been famous for its delicious specialities such as *bigos* (cooked cabbage with meat), *barszcz* (beetroot soup), *flaki* (tripe) and *zrazy* (rolled beef, veal, pork or mutton). Also Polish alcoholic drinks are worth tasting. The favourite drinks in the olden days were beer and mead. Those drinks, produced on a large scale, are still very well-known. *"Żywiec"* and *"Okocim"* beers are among those varieties of beer sought after by gourmets. Polish mead, in addition to its exquisite flavour, is said to have therapeutic properties.

Some typical Polish dishes

What is *bigos*? Basically, it is cooked cabbage with meat, but the unique flavour of this dish is achieved by proper seasoning, various additives and the manner of preparation. *"Bigos* has something of the Polish soul". This is the secret of the excellent Polish *bigos*.

Barszcz. A clear soup with a beautiful ruby colour made of beetroots, served with potatoes, patties or small *"pierogis"* (raviolis) stuffed with mushroom or meat.

Żurek, called also *white barszcz*, is a lightly sour, refreshing soup made from soured rye flour with a pinch of garlic. Other additives can include smoked bacon, sausage and cream.

Flaki (tripe). Soft-cooked and finely-cut beef tripe is cooked in broth with an addition of vegetables and hot spices. It is served with meat balls.

Appetizers

Przekąski	[pʃekōskee]	appetizers
jajko w majonezie	[yayko vmayo-neʒe]	egg in mayonnaise
kanapka	[kanapka]	sandwich
pasztecik	[paʃtetçeek]	croquette
pasztet	[paʃtet]	paté
ryba w galarecie	[riba vgalare-tçe]	jellied fish
sałatka jarzynowa	[sawatka ya-ʒinova]	vegetable salad
sałatka śledziowa	[sawatka çle-d̦ova]	herring salad
szynka	[ʃinka]	ham
śledź marynowany	[çletç marino-vani]	marinated herring
śledź w oliwie	[çletç voleevye]	herring in oil
śledź w śmietanie	[çletç fçmyetańe]	herring in cream

tatar	*[tatar]*	steak Tatare
wędliny	*[vendleeni]*	smoked meats

Soups

Zupy	*[zupi]*	soups
barszcz czerwony	*[barʃtʃ tʃervoni]*	red borsch
cebulowa	*[t͡sebulova]*	onion soup
chłodnik	*[hwodńeek]*	cold borsch
fasolowa	*[fasolova]*	bean soup
flaki	*[flakee]*	tripe
grochówka	*[grohufka]*	pea soup
grzybowa	*[gʒibova]*	mushroom soup
jarzynowa	*[yaʒinova]*	vegetable soup
kapuśniak	*[kapuçńak]*	cabbage soup
krupnik	*[krupńeek]*	barley soup
ogórkowa	*[ogurkova]*	cucumber soup
owocowa	*[ovot͡sova]*	fruit soup
pomidorowa	*[pomeedorova]*	tomato soup
rosół	*[rosuw]*	chicken soup
szczawiowa	*[ʃtʃavyova]*	sorrel soup
ziemniaczana	*[ʑemńat͡ʃana]*	potato soup
żurek	*[ʒurek]*	white borsch

Meat dishes

Dania mięsne	*[daña myēsne]*	meat dishes
bigos	*[beegos]*	bigos

bryzol	[*brizol*]	brisol (grilled beef)
cynaderki	[*ʦinaderkee*]	kidneys
golonka	[*golonka*]	golonka (pig's knuckles)
gołąbki	[*gowompkee*]	gołąbki (stuffed cabbage)
kiełbasa	[*kyewbasa*]	sausage
kotlet mielony	[*kotlet myeloni*]	minced meat
kotlet schabowy	[*kotlet shabovi*]	pork chop
pieczeń	[*pyetʃeń*]	roast meat
pieczeń barania	[*pyetʃeń barańa*]	roast mutton
pieczeń rzymska	[*pyetʃeń ʒimska*]	meat roll
pieczeń wieprzowa	[*pyetʃeń vyepʃova*]	roast pork
potrawka cielęca w sosie koperkowym	[*potrafka tʃelenʦa f-soʦe koperkovim*]	boiled veal with dill sauce
rumsztyk	[*rumʃtik*]	rump steak
szaszłyk	[*ʃaʃwik*]	shashlik
sznycel	[*ʃnitsel*]	Wiener schnitzel
sztukamięs	[*ʃtukamyēs*]	boiled beef
wątróbka	[*vontrupka*]	liver
zrazy	[*zrazi*]	zrazy (rolled beef, veal or mutton)
żeberka	[*ʒeberka*]	spare ribs

81

Fish

Ryby	[*ribi*]	fish
dorsz w sosie chrzanowym	[*dorʃ f-soçe hʃanovim*]	cod with horse-radish sauce
karp faszerowany; karp po żydowsku	[*karp faʃerovani, karp po ʒidofsku*]	stuffed carp; carp, Jewish style
karp z wody	[*karp z-vodi*]	boiled carp
leszcz smażony	[*leʃtʃ smaʒoni*]	fried bream
lin w szarym sosie po polsku	[*leen f-ʃarim soçe po polsku*]	tench with Polish grey sauce
łosoś z rusztu	[*wosoç z-ruʃtu*]	grilled salmon
pstrąg smażony z migdałami	[*pstroŋk smaʒoni z-migdawamee*]	fried trout with almonds
ryba duszona z pomidorami	[*riba duʃona s-pomidoramee*]	stewed fish with tomatoes
ryba duszona z warzywami i ziemniakami	[*riba duʃona z-vaʒivamee ee ʒemńyakamee*]	stewed fish with vegetables and potatoes
ryba po grecku	[*riba po gret͡sku*]	fish, Greek style
ryba zapiekana w sosie beszamelowym	[*riba zapyekana f-soçe beʃamelovim*]	baked fish in bechamel sauce

sandacz smażony	[*sandatʃ sma-ʒoni*]	fried perch
szczupak fasze-rowany	[*ʃtʃupak faʃe-rovani*]	stuffed pike

* * *

ryba duszona	[*riba duʃona*]	stewed fish
ryba faszerowana	[*riba faʃerova-na*]	stuffed fish
ryba pieczona	[*riba pyetʃona*]	baked fish
ryba smażona	[*riba smaʒona*]	fried fish
ryba wędzona	[*riba vendzona*]	smoked fish
ryba z wody	[*riba z-vodi*]	boiled fish

Poultry

Drób	[*drup*]	poultry
gęś pieczona, na-dziewana	[*gēç pyetʃona nadzevana*]	stuffed roast goose
indyk pieczony z nadzieniem	[*eendik pyetʃoni z-nadzeńem*]	stuffed roast turkey
kaczka pieczona z jabłkami	[*katʃka pyetʃona z-yapkamee*]	roast duck with apples
kurczę gotowane	[*kurtʃe gotova-ne*]	boiled chicken
kurczę pieczone, nadziewane ry-żem	[*kurtʃe pyetʃone nadzevane riʒem*]	roast chicken stuffed with rice

kurczę po polsku	[*kurtʃe po polsku*]	chicken, Polish style
perliczka pieczona	[*perlitʃka pyetʃona*]	roast guinea--hen

Game

Dziczyzna	[*dʒeetʃizna*]	game
bażant pieczony	[*baʒant pyetʃoni*]	roast pheasant
comber sarni ze śmietaną	[*tsomber sarnee ze çmetanō*]	deer rump with cream
kotlety z dzika	[*kotleti z-dʒeeka*]	wild-hog chops
kuropatwy duszone w śmietanie	[*kuropatfi duʃone f-çmyetańe*]	partridges stewed in cream
pieczeń z dzika	[*pyetʃeń z-dʒeeka*]	roast wild hog
pieczeń z jelenia duszona ze śmietaną	[*pyetʃeń z-yeleńa duʃona ze çmetanō*]	roast deer stewed in cream
zając duszony	[*zayonts duʃoni*]	stewed hare
zając pieczony w sosie naturalnym	[*zayonts pyetʃoni f-soçe naturalnim*]	roast hare in natural sauce
zając po polsku	[*zayonts po polsku*]	hare, Polish style

Vegetables

Jarzyny	[yaʒini]	vegetables
brukselka z masłem	[brukselka z-maswem]	buttered brussels sprouts
bukiet z jarzyn	[bukyet z-yaʒin]	platter of boiled vegetables
buraczki tarte z jabłkiem	[buratʃkee tarte z-yapkyem]	grated beets with apple
fasolka szparagowa z wody	[fasolka ʃparagova z-vodi]	boiled runner beans
fasola w sosie pomidorowym	[fasola f-soçe pomeedorovim]	beans in tomato sauce
frytki	[fritkee]	French-fried potatoes
kalafior z wody	[kalafyor z-vodi]	boiled cauliflower
kapusta gotowana	[kapusta gotovana]	stewed cabbage
marchewka z groszkiem	[marhefka z-groʃkyem]	carrots and peas
pieczarki z patelni	[pyetʃarkee s-patelnee]	fried champignons
sałata ze śmietaną	[sawata ze çmyetanō]	lettuce with cream
surówki	[surufkee]	vegetable salads
szparagi zapiekane w sosie beszamelowym	[ʃparagee zapyekane f-soçe beʃamelovim]	asparagus baked in bechamel sauce

| szpinak z jajkiem | [ʃpeenak z-yay-kyem] | spinach with eggs |
| ziemniaki gotowane | [ʒemńakee gotovane] | boiled potatoes |

Vegetarian dishes

Dania jarskie	[dańa yarskye]	vegetarian dishes
jajecznica	[yayeʧńeetsa]	scrambled eggs
jajka sadzone	[yayka sadʒone]	fried eggs
kasza	[kaʃa]	groats
kasza gryczana	[kaʃa griʧana]	buckwheat kasha
kluski	[kluskee]	noodles
knedle	[knedle]	knedle (dumplings)
makaron	[makaron]	macaroni
naleśniki	[naleçńeekee]	pancakes
naleśniki z serem	[naleçńeekee s-serem]	cottage cheese pancakes
omlet	[omlet]	omelet
paszteciki z kapustą i grzybami	[paʃtetçeekee skapustõ ee gʒibamee]	patties with cabbage and mushrooms
pieczarki	[pyeʧʃarkee]	champignons
pierogi z jagodami	[pyerogee zyagodamee]	dumplings with blueberries

pierogi z serem	[*pyerogee s-se-rem*]	dumplings with cottage cheese
placki kartoflane	[*platskee karto-flane*]	potato cakes
ryż	[*riʃ*]	rice

Seasonings

Przyprawy	[*pʃipravi*]	seasonings
chrzan	[*hʃan*]	horseradish
kminek	[*kmeenek*]	caraway
majeranek	[*mayeranek*]	marjoram
musztarda	[*muʃtarda*]	mustard
ocet	[*otŝet*]	vinegar
oliwa	[*oleeva*]	oil
papryka	[*paprika*]	paprika
pieprz	[*pyepʃ*]	pepper
sól	[*sul*]	salt

Dessert

Deser	[*deser*]	dessert
budyń	[*budiń*]	custard (blanc-mange)
ciastko	[*tçastko*]	cake
galaretka	[*galaretka*]	jelly
kompot	[*kompot*]	compote (stewed fruit)

krem	[*krem*]	cream
lody	[*lodi*]	ice cream
tort	[*tort*]	cake

Beverages

Napoje	[*napoye*]	beverages
brandy	[*brendi*]	brandy
herbata	[*herbata*]	tea
kakao	[*kakao*]	cocoa
kawa	[*kava*]	coffee
koktajl	[*koktayl*]	cocktail
koniak	[*końak*]	cognac
piwo	[*peevo*]	beer
sok	[*sok*]	juice
szampan	[*ʃampan*]	champagne
wino	[*veeno*]	wine
białe	[*byawe*]	white
czerwone	[*tʃervone*]	red
słodkie	[*swotkye*]	sweet
wytrawne	[*vitravne*]	dry
woda mineralna	[*voda meeneralna*]	mineral water
wódka	[*vutka*]	vodka

IN TOWN

Bus • Tramway • Taxi • Metro

Where is... street?
Gdzie jest ulica...?
[*gdʒe yest uleetsa*]

I'd like to get to...
Chciałbym/chciałabym się dostać do...
[*htɕawbim/htɕawabim ɕe dostatɕ do...*]

What's the name of this church?
Jak się nazywa ten kościół?
[*yak ɕe naziva ten kɔɕtɕuw*]

Where is the old town?
Gdzie jest Stare Miasto?
[*gdʒe yest stare myasto*]

Please show me the way on the map.
Proszę pokazać mi drogę na planie.
[*proʃe pokazatɕ mee droge na plańe*]

I'm looking for this address.
Szukam tego adresu.
[*ʃukam tego adresu*]

Is it far from here?
Czy to daleko stąd?
[*tʃi to daleko stont*]

Can I walk there?
Czy można tam dojść pieszo?
[*tʃi moʒna tam doyɕtɕ pyeʃo*]

How can I get there?	Czym mogę tam dojechać?
	[tʃim moge tam doyehatɕ]
Which bus should I take to get to...?	Jakim autobusem dojadę do...?
	[yakeem awtobusem doyade do...]
Where is the bus (tram) stop?	Gdzie jest przystanek autobusowy (tramwajowy)?
	[gdʑe yest pʃistanek awtobusovi (tramvayovi)]
Which way should I go?	W którą stronę mam jechać/iść?
	[fkturɔ strone mam yehatɕ/eeɕtɕ]
At which stop should I get off?	Na którym przystanku mam wysiąść?
	[na kturim pʃistanku mam viɕoɲɕtɕ]
Where should I get off?	Gdzie mam wysiąść?
	[gdʑe mam viɕoɲɕtɕ]
One tram (bus, metro) ticket, please.	Proszę jeden bilet tramwajowy (autobusowy, na metro)*.
	[proʃe yeden beelet tramvayovi (awtobusovi, na metro)]

---

* Tickets for city transportation (buses, trams, metro) can be bought at newspaper stands.

I don't have any change.	Nie mam drobnych. [*ńe mam drobnih*]
Two tickets for an express bus, please.	Proszę dwa bilety na autobus pośpieszny. [*proʃe dva beeleti na awtobus poɕpyeʃni*]
What time do the buses start in the morning?	O której rano jeżdżą pierwsze autobusy? [*o kturey rano yeʒdʒõ pyerʃe awtobusi*]
What time is the last bus?	Kiedy jest ostatni autobus? [*kyedi yest ostatńee awtobus*]
Are there any night buses?	Czy są nocne autobusy? [*tʃi sõ notsne awtobusi*]
Where is a taxi stand?	Gdzie jest postój taksówek? [*gdʑe yest postuy taksuvek*]
Please take me to... street, number...	Proszę na ulicę... numer... [*proʃe na uleetse... numer...*]
Please take me to this address.	Proszę pod ten adres. [*proʃe pot ten adres*]
How much is it?	Ile płacę? [*eele pwatse*]

A — AUTOBUS	bus	
T — TRAMWAJ	tram	
TROLEJBUS	trolleybus	
M — METRO	metro	
TAXI — TAKSÓWKA	taxi	

Post office • Fax • Telephone

Where is the main post office?	Gdzie jest poczta główna? [*gdże yest potʃta gwuvna*]
Where is the nearest post office?	Gdzie jest najbliższa poczta? [*gdże yest nayblee ʃ-ʃa potʃta*]
When does the post office close?	O której zamykają pocztę? [*o kturey zamikayō potʃte*]
Where is the pillar--box?	Gdzie jest skrzynka na listy? [*gdże yest skʃinka na leesti*]
Where can I get	Gdzie mogę dostać [*gdże moge dostatç*]
some stationery	papier listowy [*papyer leestovi*]
envelopes	koperty [*koperti*]
postcards	karty pocztowe [*karti potʃtove*]
stamps?	znaczki pocztowe? [*znaʃkee potʃtove*]
I want a stamp to...	Proszę znaczek do... [*proʃe znatʃek do...*]
How much is a stamp to...?	Ile kosztuje znaczek do...? [*eele koʃtuye znatʃek do...*]
How much is a registered letter to...?	Ile kosztuje list polecony do...? [*eele koʃtuye leest poletsoni do...*]

How much is an air-mail letter to...?	Ile kosztuje list lotniczy do...? [*eele koʃtuye leest lotńeetʃi do...*]
How much is an express letter to...?	Ile kosztuje ekspres do...? [*eele koʃtuye ekspres do...*]
Where can I send a parcel?	Gdzie mogę nadać paczkę? [*gdźe moge nadatɕ patʃke*]
I'd like to send a parcel.	Chciałbym/chciałabym nadać paczkę. [*htɕawbim/htɕawabim nadatɕ patʃke*]
Can I send this parcel airmail?	Czy mogę wysłać tę paczkę pocztą lotniczą? [*tʃi moge viswatɕ tē patʃke potʃtō lotńeetʃō*]
Where can I get	Gdzie dostanę [*gdźe dostane*]
a form	formularz [*formulaʃ*]
a money-order form?	przekaz na pieniądze? [*pʃekas na pyeńondźe*]
I'd like to send a telegram.	Chciałbym/chciałabym nadać telegram. [*htɕawbim/htɕawabim nadatɕ telegram*]
What is the rate per word	Ile kosztuje jedno słowo [*eele koʃtuye yedno swovo*]
in an ordinary telegram	w telegramie zwykłym [*ftelegramye zvikwim*]

in a reply-paid telegram?	w telegramie z opłaconą odpowiedzią? *[ftelegramye zopwatŝonō otpovyedʒ̑ō]*
Where is the poste-restante window?	Gdzie jest poste restante? *[gdʒ̑e yest post restant]*
Can I use the telephone, please?	Czy mogę zatelefonować? *[tʃi moge zatelefonovatɕ]*
Where is the public phone?	Gdzie jest automat telefoniczny? *[gdʒ̑e yest awtomat telefońeetʃni]*
Where is the telephone booth?	Gdzie jest budka telefoniczna? *[gdʒ̑e yest butka telefońeetʃna]*
Where can I place a telephone call?	Gdzie mogę zamówić rozmowę telefoniczną? *[gdʒ̑e moge zamuveetɕ rozmove telefońeetʃnō]*
I'd like to place a call to...	Chciałbym/chciałabym zamówić rozmowę z... *[htɕawbim/htɕawabim zamuveetɕ rozmove z...]*
What's the cost of a 3-minute call to...?	Ile kosztują 3 minuty rozmowy z...? *[eele koʃtuyō t-ʃi meenuti rozmovi z...]*

How long do I have to wait for a connection?	Jak długo będę czekać na połączenie? [yak dwugo bende tʃekatɕ na powontʃeńe]	
That was a ... minute call.	Rozmowa trwała ... minut. [rozmova trfawa ... meenut]	
How much do I owe you?	Ile płacę? [eele pwatɕe]	
Have you got a fax here?	Czy jest tutaj faks? [tʃi yest tutay faks]	
I'd like to send a fax to...	Chciałbym/chciałabym wysłać faks do... [htɕawbim/htɕawabim viswatɕ faks do...]	

* * *

address	adres	[adres]
addressee	adresat	[adresat]
answering machine	automatyczna sekretarka	[awtomatitʃna sekretarka]
cellular phone	telefon komórkowy	[telefon komurkovi]
cordless telephone	telefon bezprzewodowy	[telefon bespʃevodovi]
envelope	koperta	[koperta]
form	blankiet	[blankyet]
letter	list	[leest]
airmail	lotniczy	[lotńeetʃi]
express	ekspres	[ekspres]

ordinary	zwykły	[zvikwi]
registered	polecony	[poletsoni]
money-order form	przekaz na pieniądze	[pʃekas na pyeńondʒe]
parcel	paczka	[patʃka]
phonecard	karta telefoniczna	[karta telefoneetʃna]
postcard	karta pocztowa	[karta potʃtova]
sender	nadawca	[nadaftsa]
stamp	znaczek	[znatʃek]
telegram	telegram	[telegram]
telephone directory	książka telefoniczna	[kçõʃka telefoneetʃna]
token	żeton	[ʒeton]

POCZTA	post office
OKIENKO	window
POSTE RESTANTE	poste-restante
SKRZYNKA POCZTOWA	pillar-box
TELEFON	telephone

SHOPPING

Where can I buy...? | Gdzie mogę kupić...?
[gdźe moge kupeetç]

Where is the department store? | Gdzie jest dom towarowy?
[gdźe yest dom tovarovi]

Where is a souvenir shop? | Gdzie jest sklep z upominkami?
[gdźe yest sklep zupomeenkamee]

Where is a food market? | Gdzie jest bazar z żywnością?
[gdźe yest bazar zʒivnoçtçō]

Please give me... | Proszę o...
[proʃe o...]

Please show me... | Proszę pokazać mi...
[proʃe pokazatç mee...]

Please show me something else. | Proszę pokazać mi coś innego.
[proʃe pokazatç mee tʃoç eennego]

Three meters of that material, please. | Proszę trzy metry tego materiału.
[proʃe t-ʃi metri tego materyawu]

Two pairs of gloves, please. | Proszę dwie pary rękawiczek.
[proʃe dvye pari reŋkaveetʃek]

97

Shoes number..., please.	Proszę buty numer...
	[*proſe buti numer...*]
One number bigger, please.	Proszę o numer większe.
	[*proſe o numer vyeŋkſe*]
One number smaller, please.	Proszę o numer mniejsze.
	[*proſe o numer mńeyſe*]
Can I try it on?	Czy mogę przymierzyć?
	[*tʃi moge pʃimyeʒitç*]
How much is it?	Ile to kosztuje?
	[*eele to koſtuye*]
Do you have anything cheaper?	Czy jest coś tańszego?
	[*tʃi yest tsoç tańſego*]
How much do I owe you?	Ile płacę?
	[*eele pwatse*]

Groceries

General

flour	mąka	[*moŋka*]
groats	kasza	[*kaſa*]
jam	dżem	[*dʒem*]
macaroni	makaron	[*makaron*]
oil	olej	[*oley*]
rice	ryż	[*riſ*]
salt	sól	[*sul*]
sugar	cukier	[*tsukyer*]

Bread

biscuits	herbatniki	[herbatńeekee]
bread	chleb	[hlep]
brown bread	chleb razowy	[hlep razovi]
cake	ciastko	[tçastko]
cracker	sucharek	[suharek]
croissant	rogalik	[rogaleek]
roll	bułka	[buwka]

Dairy products

butter	masło	[maswo]
cheese	ser żółty	[ser ʒuwti]
cheese spread	ser topiony	[ser topyoni]
cottage cheese	ser biały	[ser byawi]
cream	śmietanka	[çmyetanka]
egg	jajko	[yayko]
ice-cream	lody	[lodi]
kefir (type of yogurt)	kefir	[kefeer]
margarine	margaryna	[margarina]
margarine made from vegetable oil	masło roślinne	[maswo roçleenne]
milk	mleko	[mleko]
powdered milk	mleko w proszku	[mleko fproʃku]
sour cream	śmietana	[çmyetana]

tinned milk	mleko w puszce	[*mleko fpuʃtse*]
yogurt	jogurt	[*yogurt*]

Meat

bacon	boczek	[*botʃek*]
beef	wołowina	[*vovoveena*]
ham	szynka	[*ʃinka*]
joint of pork	schab	[*shap*]
liver	wątróbka	[*vontrupka*]
meat	mięso	[*myēso*]
minced meat	mielone	[*myelone*]
with bone	z kością	[*skoçtʃō*]
without bone	bez kości	[*bes koçtʃee*]
mutton	baranina	[*barańeena*]
pork	wieprzowina	[*vyepʃoveena*]
rump	rostbef	[*rosbef*]
sausage	kiełbasa	[*kyewbasa*]
sirloin	polędwica	[*polendveetsa*]
smoked meats	wędliny	[*vendleeni*]
spare ribs	żeberka	[*ʒeberka*]
veal	cielęcina	[*tʃeleńtʃeena*]

Poultry

chicken	kurczak	[*kurtʃak*]
duck	kaczka	[*katʃka*]
goose	gęś	[*gēç*]

poultry	drób	[*drup*]
turkey	indyk	[*eendik*]

Fish

bream	leszcz	[*leʃtʃ*]
carp	karp	[*karp*]
cod	dorsz	[*dorʃ*]
eel	węgorz	[*veŋgoʃ*]
fish	ryba	[*riba*]
fillets	filety	[*feeleti*]
fresh	świeża	[*çfyeʒa*]
frozen	mrożona	[*mroʒona*]
smoked	wędzona	[*vendẑona*]
flounder	flądra	[*flondra*]
hake	morszczuk	[*morʃtʃuk*]
halibut	halibut	[*haleebut*]
herring	śledź	[*çletç*]
perch	sandacz	[*sandatʃ*]
sardine	sardynka	[*sardinka*]
trout	pstrąg	[*pstroŋk*]

Vegetables

asparagus	szparagi	[*ʃparagee*]
beans	fasola	[*fasola*]
brussels sprouts	brukselka	[*brukselka*]
cabbage	kapusta	[*kapusta*]
carrot	marchew	[*marhef*]

cauliflower	kalafior	[*kalafyor*]
celery	seler	[*seler*]
champignons	pieczarki	[*pyetʃarkee*]
chicory	cykoria	[*tsikorya*]
cucumbers	ogórki	[*ogurkee*]
pickled cucumbers	konserwowe	[*konservove*]
garlic	czosnek	[*tʃosnek*]
leeks	pory	[*pori*]
lettuce	sałata	[*sawata*]
mushrooms	grzyby	[*gʒibi*]
dried	suszone	[*suʃone*]
fresh	świeże	[*çfyeʒe*]
nuts	orzechy	[*oʒehi*]
hazel-nuts	laskowe	[*laskove*]
walnuts	włoskie	[*vwoskye*]
onion	cebula	[*tsebula*]
paprika	papryka	[*paprika*]
parsley	pietruszka	[*pyetruʃka*]
peas	groch	[*groh*]
potatoes	kartofle	[*kartofle*]
pumpkin	dynia	[*dińa*]
radish	rzodkiewki	[*ʒotkyefkee*]
runner beans	fasola szparagowa	[*fasola ʃparagova*]
sauerkraut	kapusta kiszona	[*kapusta keeʃona*]
spinach	szpinak	[*ʃpeenak*]
tomatoes	pomidory	[*pomeedori*]

Fruit

apples	jabłka	[*yapka*]
bananas	banany	[*banani*]
blueberries	jagody	[*yagodi*]
cherries	wiśnie	[*veeçńe*]
currants	porzeczki	[*poʒetʃkee*]
gooseberry	agrest	[*agrest*]
grapefruit	grejpfrut	[*greypfrut*]
grapes	winogrona	[*veenogrona*]
lemon	cytryna	[*ʦitrina*]
melon	melon	[*melon*]
orange	pomarańcza	[*pomarańʦʃa*]
peach	brzoskwinia	[*bʒoskfeeńa*]
pear	gruszka	[*gruʃka*]
plums	śliwki	[*çleefkee*]
raspberries	maliny	[*maleeni*]
strawberries	truskawki	[*truskafkee*]
sweet cherries	czereśnie	[*ʧereçńe*]
water melon	arbuz	[*arbus*]
wild strawberries	poziomki	[*poʒomkee*]

Beverages

beer	piwo	[*peevo*]
champagne	szampan	[*ʃampan*]
chocolate	czekolada	[*ʧekolada*]
cocktail	koktajl	[*koktayl*]
cocoa	kakao	[*kakao*]

coffee	kawa	[*kava*]
cognac	koniak	[*końak*]
dry wine	wino wytrawne	[*veeno vitravne*]
juice	sok	[*sok*]
mineral water	woda mineral-na	[*voda meeneral-na*]
red wine	wino czerwone	[*veeno tʃervone*]
rum	rum	[*rum*]
soda water	woda sodowa	[*voda sodova*]
sweet wine	wino słodkie	[*veeno swotkye*]
tea	herbata	[*herbata*]
vodka	wódka	[*vutka*]
white wine	wino białe	[*veeno byawe*]
wine	wino	[*veeno*]

Clothes

Men's wear

coat; jacket	marynarka	[*marinarka*]
jacket	kurtka	[*kurtka*]
leather jacket	skórzana	[*skuʒana*]
suede jacket	zamszowa	[*zamʃova*]
jeans	dżinsy	[*dʒeensi*]
leather coat	płaszcz skó-rzany	[*pwaʃtʃ sku-ʒani*]
overcoat	jesionka	[*yeçonka*]
raincoat	płaszcz od deszczu	[*pwaʃtʃ od deʃ-tʃu*]

sheepskin	kożuch	[koʒuh]
suit	garnitur męski	[garñeetur mēskee]
trousers	spodnie	[spodñe]
vest; waistcoat	kamizelka	[kameezelka]

Women's wear

blouse	bluzka	[bluska]
long-sleeve blouse	z długimi rękawami	[zdwugeemee reŋkavamee]
short-sleeve blouse	z krótkimi rękawami	[skrutkeemee reŋkavamee]
sleeveless blouse	bez rękawów	[bez reŋkavuf]
coat	płaszcz	[pwaʃtʃ]
costume; suit	kostium	[kostyum]
dress	suknia	[sukña]
cocktail dress	wizytowa	[veezitova]
sports dress	sportowa	[sportova]
summer dress	letnia	[letña]
fur coat	futro	[futro]
fur jacket	kurtka futrzana	[kurtka fut-ʃana]
jacket	żakiet	[ʒakyet]
leather jacket	kurtka skórzana	[kurtka skuʒana]
overcoat	palto	[palto]
parka; windcheater	skafander	[skafander]

raincoat	płaszcz od deszczu	[pwaʃtʃ od deʃtʃu]
sheepskin	kożuch	[koʒuh]
skirt	spódnica	[spudńeetsa]
long skirt	długa	[dwuga]
pleated skirt	plisowana	[pleesovana]
trousers	spodnie	[spodńe]
women's jeans	dżinsy damskie	[dʒeensi damskye]

Underwear and haberdashery

M e n ' s

belt	pasek	[pasek]
braces	szelki	[ʃelkee]
gloves	rękawiczki	[reŋkaveetʃkee]
handkerchief	chustka do nosa	[hustka do nosa]
hat	kapelusz	[kapeluʃ]
pullover	pulower	[pulover]
purse	portmonetka	[portmonetka]
pyjamas	piżama	[peeʒama]
scarf	szalik	[ʃaleek]
shirt	koszula	[koʃula]
short-sleeved	z krótkimi rękawami	[skrutkeemee reŋkavamee]
socks	skarpetki	[skarpetkee]
sweater	sweter	[sfeter]
tie	krawat	[kravat]

trunks	kąpielówki	[*kompyelufkee*]
umbrella	parasol	[*parasol*]
underpants	slipy	[*sleepi*]
vest	podkoszulek	[*potkoʃulek*]
wallet	portfel	[*portfel*]

W o m e n ' s

bra	stanik	[*staňeek*]
dressing gown	szlafrok	[*ʃlafrok*]
gloves	rękawiczki	[*reŋkaveetʃkee*]
handbag	torebka	[*torepka*]
hat	kapelusz	[*kapeluʃ*]
knee-length socks	podkolanówki	[*potkolanufkee*]
night-gown	koszula nocna	[*koʃula notsna*]
panties	figi	[*feegee*]
petticoat	halka	[*halka*]
pullover	pulower	[*pulover*]
pyjamas	piżama	[*peeʒama*]
scarf	szalik	[*ʃaleek*]
silk scarf	jedwabny	[*yedvabni*]
wool scarf	wełniany	[*vewňani*]
stockings	pończochy	[*poňtʃohi*]
suspender-belt	pas do pończoch	[*pas do poňtʃoh*]
tights	rajstopy	[*raystopi*]

Footwear

boots	kozaki	[*kozakee*]
sandals	sandały	[*sandawi*]

shoe horn	łyżka do butów	[wiʃka do butuf]
shoe-laces	sznurowadła	[ʃnurovadwa]
shoes	buty	[buti]
high-heel shoes	na wysokim obcasie	[na visokeem optsaçe]
low-heel shoes	na płaskim obcasie	[na pwaskeem optsaçe]
rubber shoes	gumowe	[gumove]
summer shoes	letnie	[letńe]
winter shoes	zimowe	[ʒeemove]
slippers	pantofle do-mowe	[pantofle do-move]
tennis shoes	tenisówki	[teńeesufkee]
wellington boots	długie kalosze	[dwugye kaloʃe]

Toiletries

after-shave lotion	płyn po goleniu	[pwin po goleńu]
bath oil	płyn do kąpieli	[pwin do kom-pyelee]
body lotion	balsam do ciała	[balsam do tça-wa]
brush	szczotka	[ʃtʃotka]
clothes brush	do ubrania	[do ubrańa]
hair brush	do włosów	[do vwosuf]
toothbrush	do zębów	[do zembuf]
cleansing milk	mleczko kosme-tyczne	[mletʃko kosme-titʃne]
comb	grzebień	[gʒebyeń]

compact powder	puder w kamie-niu	[*puder f-kamye-ńu*]
cream	krem	[*krem*]
dry-skin cream	tłusty	[*twusti*]
moisturizing cream	nawilżający	[*naveelʒayont͡si*] ·
shaving cream	do golenia	[*do goleńa*]
suntan lotion	do opalania	[*do opalańa*]
deodorant	dezodorant	[*dezodorant*]
eau-de-cologne	woda kolońska	[*voda kolońska*]
eye-shadows	pastele do oczu	[*pastele do ot͡ʃu*]
hair conditioner	odżywka do włosów	[*od-ʒifka do vwosuf*]
hair shampoo	szampon do włosów	[*ʃampon do vwosuf*]
hair spray	lakier do włosów	[*lakyer do vwo-suf*]
lipstick	pomadka do ust	[*pomatka do ust*]
make-up	puder w kremie	[*puder fkremye*]
mascara	tusz do rzęs	[*tuʃ do ʒēs*]
mirror	lusterko	[*lusterko*]
nail file	pilnik do paznokci	[*peelńeek do paznokt͡ɕee*]
nail polish	lakier do paznokci	[*lakyer do paznokt͡ɕee*]
nail polish re-mover	zmywacz do paznokci	[*zmivat͡ʃ do paznokt͡ɕee*]
perfumes	perfumy	[*perfumi*]
powder	puder	[*puder*]

109

safety blades	żyletki	[ʒiletkee]
scissors	nożyczki	[noʒitʃkee]
shaver	maszynka do golenia	[maʃinka do goleńa]
shaving brush	pędzel do golenia	[pendʒel do goleńa]
shower gel	płyn do mycia ciała (pod prysznicem)	[pwin do mitça tçawa (pot priʃńeetsem)]
soap	mydło	[midwo]
sponge	gąbka	[gompka]
suntan oil	olejek do opalania	[oleyek do opalaña]
toner	tonik do twarzy	[tońeek do tfaʒi]
toothpaste	pasta do zębów	[pasta do zembuf]
vaseline	wazelina	[vazeleena]

Jeweller's shop

alarm clock	budzik	[budʒeek]
amber	bursztyn	[burʃtin]
beads	korale	[korale]
bracelet	bransoletka	[brãsoletka]
brooch	broszka	[broʃka]
chain	łańcuszek	[wańtsuʃek]
cigarette case	papierośnica	[papyeroçńeetsa]
compact	puderniczka	[puderńeetʃka]
cuff-links	spinki do mankietów	[speenkee do mankyetuf]

ear rings	kolczyki	[koltʃikee]
hairclip	spinka do włosów	[speenka do vwosuf]
jewellery	biżuteria	[beeʒuterya]
medallion	medalion	[medalyon]
pearls	perły	[perwi]
pendant	wisiorek	[veeçorek]
pocket watch	zegarek kieszonkowy	[zegarek kyeʃonkovi]
precious stone	kamień szlachetny	[kamyeń ʃlahetni]
ring	pierścionek	[pyerçtçonek]
watch	zegarek	[zegarek]
watch strap	pasek do zegarka	[pasek do zegarka]
wedding ring	obrączka	[obrontʃka]
wrist-watch	zegarek na rękę	[zegarek na reŋke]

Souvenir shop and Cepelia shop*

Do you have embroidered table-cloths?   Czy są haftowane obrusy?
[tʃi sõ haftovane obrusi]

Please give me that rug.   Poproszę ten kilim.
[poproʃe ten keeleem]

---

* Cepelia shops carry products of Polish folk art including souvenirs, material, rugs, sculptures, paintings and even furniture.

Do you have a big woven carpet?	Czy dostanę duży wełniany dywan? [*tʃi dostane duʒi vewńani divan*]
Please give me that tapestry.	Poproszę tę makatę. [*poproʃe tē makate*]
How much is that bedspread?	Ile kosztuje ta narzuta? [*eele koʃtuye ta naʒuta*]
How much is this vase?	Ile kosztuje ten wazon? [*eele koʃtuye ten vazon*]
How much is this box (casket)?	Ile kosztuje ta szkatułka? [*eele koʃtuye ta ʃkatuwka*]
How much is this ash-tray?	Ile kosztuje ta popielniczka? [*eele koʃtuye ta popyelńeeʧka*]
Have you got any	Czy są jakieś [*tʃi sō yakyeç*]
wooden things	wyroby z drewna [*virobi zdrevna*]
leather things	wyroby ze skóry [*virobi ze skuri*]
amber things	wyroby z bursztynu [*virobi zburʃtinu*]
silver things?	wyroby ze srebra? [*virobi ze srebra*]
Please pack it up for me.	Proszę mi to zapakować. [*proʃe mee to zapakovaʨ*]
How much is it?	Ile płacę? [*eele pwaʦe*]

China shop

How much is this vase?	Ile kosztuje ten wazon? [*eele koʃtuye ten vazon*]
Do you have smaller (bigger) ones?	Czy są mniejsze (większe)? [*tʃi sõ mńeyʃe (vyeŋkʃe)*]
Are there any crystal wine glasses?	Czy są kryształowe kieliszki do wina? [*tʃi sõ kriʃtawove kyeleeʃkee do veena*]
Do you have wine (cognac, vodka) glasses?	Czy są kieliszki do wina (do koniaku, do wódki)? [*tʃi sõ kyeleeʃkee do veena (do końaku, do vutkee)*]
Please give me that crystal cakestand.	Proszę kryształowy talerz do ciasta. [*proʃe kriʃtawovi taleʃ do tɕasta*]
Please give me that crystal (glass) salad bowl.	Proszę kryształową (szklaną) salaterkę. [*proʃe kriʃtawovõ (ʃklanõ) salaterke*]
Have you got any "Włocławek" plates*?	Czy są talerze włocławskie? [*tʃi sõ taleʒe vwotswafskye*]

---

* *Włocławek china and pottery are in great demand because of the attractive folk patterns. The name comes from the town of Włocławek where the factory is located.*

113

Can I have that "Włocławek" mug?	Proszę włocławski kubeczek. [*proʃe vwotswafskee kube-* *tʃek*]
Do you have a dinner service?	Czy dostanę serwis obia- dowy? [*tʃi dostane servees obya-* *dovi*]
Do you have a coffee service?	Czy dostanę serwis do kawy? [*tʃi dostane servees do kavi*]

Bookshop

Where is the nearest bookshop?	Gdzie tu jest księgarnia? [*gdʑe tu yest kɕeŋgarńa*]
Do you have	Czy dostanę [*tʃi dostane*]
an English-Polish dictionary	słownik angielsko-polski [*swovńeek aŋgyelsko-* *-polskee*]
a French-Polish dictionary	słownik francusko-polski [*swovńeek frantsusko-* *-polskee*]
a German-Polish dictionary	słownik niemiecko-polski [*swovńeek ńemyetsko-* *-polskee*]
an Italian-Polish dictionary	słownik włosko-polski [*swovńeek vwosko-* *-polskee*]
a Russian-Polish dictionary?	słownik rosyjsko-polski? [*swovńeek rosiysko-polskee*]

Are there any	Czy są [*tʃi sõ*]
small dictionaries	małe słowniki [*mawe swovńeekee*]
pocket dictionaries	kieszonkowe słowniki [*kyeʃonkove swovńee- kee*]
concise dictionaries	podręczne słowniki [*podrentʃne swovńee- kee*]
big dictionaries?	wielkie słowniki? [*vyelkye swovńeekee*]
Can I have	Czy dostanę [*tʃi dostane*]
an English-Polish phrase book	rozmówki angielsko- -polskie [*rozmufkee aŋgyelsko- -polskye*]
a French-Polish phrase book	rozmówki francusko- -polskie [*rozmufkee frantsusko- -polskye*]
an Italian-Polish phrase book	rozmówki włosko-polskie [*rozmufkee vwosko- -polskye*]
a Russian-Polish phrase book?	rozmówki rosyjsko- -polskie? [*rozmufkee rosiysko- -polskye*]

Do you have a tourist guide of Poland in English?	Czy dostanę przewodnik turystyczny po Polsce w języku angielskim? [*tʃi dostane pʃevodńeek turistitʃni po polstʃe vyēziku aŋgyelskeem*]
Do you have a map of the city?	Czy dostanę plan miasta? [*tʃi dostane plan myasta*]
Do you have any albums?	Czy są jakieś albumy? [*tʃi sō yakyeç albumi*]
How much is it?	Ile to kosztuje? [*eele to koʃtuye*]
Please wrap it up.	Proszę zapakować. [*proʃe zapakovatç*]

Newspaper stand

Have you any newspapers (magazines) in	Czy są gazety (czasopisma) w języku [*tʃi sō gazeti (tʃasopeesma) vyēziku*]
English	angielskim [*aŋgyelskeem*]
French	francuskim [*frantsuskeem*]
German	niemieckim [*ńemyetskeem*]
Russian?	rosyjskim? [*rosiyskeem*]

Some picture post-cards, please.	Proszę widokówki.
	[proʃe veedokufkee]
One postcard with a stamp, please.	Proszę kartę pocztową ze znaczkiem.
	[proʃe karte potʃtovō ze znatʃkyem]
Do you have a ball--point pen?	Czy dostanę długopis?
	[tʃi dostane dwugopees]
I'd like a box of matches, please.	Proszę pudełko zapałek.
	[proʃe pudewko zapawek]
I'd like a lighter, please.	Proszę zapalniczkę.
	[proʃe zapalńeetʃke]
Marlboro cigarettes, please.	Proszę papierosy Marlboro.
	[proʃe papyerosi marlboro]
Do you have pipe to-bacco?	Czy dostanę tytoń fajko-wy?
	[tʃi dostane titoń faykovi]

Various articles

button	guzik	[guʒeek]
knitting needles	druty	[druti]
lace	koronka	[koronka]
needle	igła	[eegwa]
pins	szpilki	[ʃpeelkee]
ribbon	tasiemka	[taçemka]
safety pin	agrafka	[agrafka]
scissors	nożyczki	[noʒitʃkee]
thimble	naparstek	[naparstek]

thread	nici	[*ńeetʃee*]
wool	wełna	[*vewna*]

* * *

ball-point pen	długopis	[*dwugopees*]
brown paper	papier do pako-wania	[*papyer do pako-vańa*]
carbon paper	kalka do ma-szyny	[*kalka do ma-ʃini*]
coloured pencil	kredka	[*kretka*]
correction fluid	korektor	[*korektor*]
diary, calendar	kalendarzyk	[*kalendaʒik*]
envelope	koperta	[*koperta*]
felt-tip pen, marker	flamaster	[*flamaster*]
fountain pen	pióro wieczne	[*pyuro vyetʃne*]
glue	klej	[*kley*]
ink	atrament	[*atrament*]
notebook, diary	notes	[*notes*]
notebook, exer-cise book	zeszyt	[*zeʃit*]
paper	papier	[*papyer*]
paper napkins	serwetki papie-rowe	[*servetkee papyerove*]
pencil	ołówek	[*owuvek*]
refill	wkład do dłu-gopisu	[*fkwat do dwu-gopeesu*]
rubber	gumka	[*gumka*]

118

string	sznurek	[ʃnurek]
toilet paper	papier toaletowy	[papyer toaletovi]
typing paper	papier maszynowy	[papyer maʃinovi]
writing pad	papier listowy	[papyer leestovi]

* * *

cigarette lighter	zapalniczka	[zapalɲeeʧka]
cigarettes	papierosy	[papyerosi]
mild	słabe	[swabe]
strong	mocne	[moʦne]
cigars	cygara	[ʦigara]
matches	zapałki	[zapawkee]
pipe	fajka	[fayka]
tobacco	tytoń	[titoń]

* * *

cassette	kaseta	[kaseta]
compact disc	płyta kompaktowa	[pwita kompaktova]
compact disc player	odtwarzacz płyt kompaktowych	[ot-tfaʒaʧ pwit kompaktovih]
computer	komputer	[komputer]
computer game	gra komputerowa	[gra komputerova]
diskette	dyskietka (komputerowa)	[diskyetka (komputerova)]

119

gramophone needle	igła gramofonowa	[eegwa gramofonova]
gramophone record	płyta gramofonowa	[pwita gramofonova]
headphones	słuchawki	[swuhafkee]
keyboard	klawiatura	[klavyatura]
monitor	monitor	[mońeetor]
mouse	mysz	[miʃ]
printer	drukarka	[drukarka]
ink	atramentowa	[atramentova]
laser	laserowa	[laserova]
needle	igłowa	[eegwova]
radio-cassette player	radiomagnetofon	[radyomagnetofon]
radio set	radio	[radyo]
record player	adapter	[adapter]
satellite antenna	antena satelitarna	[antena sateleetarna]
software	program komputerowy	[program komputerovi]
tape recorder	magnetofon	[magnetofon]
TV set	telewizor	[televeezor]
portable	przenośny	[pʃenoçni]
video cassette	kaseta wideo	[kaseta veedeo]
video recorder	magnetowid	[magnetoveet]

Barbershop

Could you wash my hair, please?
Proszę mi umyć włosy.
[*proſe mee umitç vwosi*]

Could I have a haircut?
Proszę mi skrócić włosy.
[*proſe mee skrutçeetç vwosi*]

Could you trim my moustache and beard, please?
Proszę skrócić wąsy i brodę.
[*proſe skrutçeetç võsi ee brode*]

I need a shave.
Proszę golenie.
[*proſe goleńe*]

How much is it?
Ile płacę?
[*eele pwatſe*]

Hairdresser's

Can I make an appointment for a wash and set?
Chciałabym się umówić na umycie głowy i uczesanie.
[*htçawabim çe umuveetç na umitçe gwovi ee utſesańe*]

When?
Na kiedy?
[*na kyedi*]

Tomorrow.
Na jutro.
[*na yutro*]

121

This evening.	Na dziś wieczór.
	[na dżeeç vyetʃur]
I'd like a wash and set.	Proszę mycie i czesanie.
	[proʃe mitçe ee tʃesańe]
Some brush-modell-ing, please.	Proszę o modelowanie szczotką.
	[proʃe o modelovańe ʃtʃo-tkō]
I'd like my hair trimmed.	Proszę mi podciąć włosy.
	[proʃe mee pot-tçońtç vwosi]
I'd just like my hair combed.	Proszę czesanie bez mycia.
	[proʃe tʃesańe bes mitça]
I'd like my hair combed back.	Proszę mi podtapirować włosy.
	[proʃe mee pot-tapeerovatç vwosi]
Don't backcomb it, please.	Proszę nie tapirować.
	[proʃe ńe tapeerovatç]
Use some hairspray, please.	Proszę polakierować.
	[proʃe polakyerovatç]
No hairspray, please.	Proszę nie lakierować.
	[proʃe ńe lakyerovatç]
I'd like to have my hair dyed.	Chciałabym ufarbować wło-sy.
	[htçawabim ufarbovatç vwosi]
I'd like to have a perm.	Chciałabym zrobić trwałą.
	[htçawabim zrobeetç trfa-wō]

I'd like to have a manicure.	Chciałabym zrobić manikiur.
	[htçawabim zrobeetç mańeekyur]

Beauty salon

I'd like to make an appointment.	Chciałabym zamówić wizytę u kosmetyczki.
	[htçawabim zamuveetç veezite u kosmetitʃkee]
I'd like a face massage.	Chciałabym zrobić masaż twarzy.
	[htçawabim zrobeetç masaʃ tfaʒi]
I'd like a body massage.	Chciałabym zrobić masaż całego ciała.
	[htçawabim zrobeetç masaʃ tsawego tçawa]
I'd like my eyebrows and eyelashes tinted.	Chciałabym zrobić henną brwi i rzęsy.
	[htçawabim zrobeetç hennõ brvee ee ʒensi]
I'd like a facial, please.	Czy może mi pani zrobić makijaż?
	[tʃi moʒe mee pańee zrobeetç makeeyaʃ]
I'd like a pedicure, please.	Chciałabym zrobić pedikiur.
	[htçawabim zrobeetç pedeekyur]

123

Please varnish my fingernails	Proszę polakierować paznokcie
	[*proʃe polakyerovatɕ paznoktɕe*]
a light shade	jasnym lakierem
	[*yasnim lakyerem*]
a dark shade.	ciemnym lakierem.
	[*tɕemnim lakyerem*]
No varnish, please.	Proszę nie lakierować.
	[*proʃe ńe lakyerovatɕ*]

FRYZJER DAMSKI	hairdresser's
FRYZJER MĘSKI	barbershop
GABINET KOSMETYCZNY	beauty salon
SAUNA	sauna

Laundry

Where is the nearest laundry?	Gdzie jest najbliższa pralnia?
	[*gdʑe yest naybleeʃ-ʃa pralńa*]

Where is the nearest dry cleaner's?	Gdzie jest pralnia chemiczna?
	[gdźe yest pralńa hemeetʃna]
Could I have this washed?	Chciałbym/chciałabym oddać to do prania.
	[htɕawbim/htɕawabim oddatɕ to do prańa]
When will it be ready?	Kiedy będzie gotowe?
	[kyedi beńdʒe gotove]
Can I wait here, please.	Czy mogę poczekać?
	[tʃi moge potʃekatɕ]
How long will it take?	Jak długo to potrwa?
	[yak dwugo to potrfa]
How much is it?	Ile płacę?
	[eele pwatse]
Do I pay now or later?	Płacę teraz czy przy odbiorze?
	[pwatse teras tʃi pʃi odbyoʒe]

PRALNIA	laundry
PRALNIA CHEMICZNA	dry cleaning
PRALNIA SAMOOBSŁUGOWA	launderette
PRZYJMOWANIE	check-in counter
WYDAWANIE	check-out counter

Photographer

I'd like to have my picture taken.

Chciałbym/chciałabym zrobić sobie zdjęcie.

[*htçawbim/htçawabim zrobeetç sobye zdyeńtçe*]

I'd like to have this film developed.

Chciałbym/chciałabym oddać ten film do wywołania.

[*htçawbim/htçawabim oddatç ten feelm do vivowańa*]

Please make one copy of each.

Proszę zrobić po jednej odbitce.

[*profe zrobeetç po yedney odbeet-tse*]

When will it be ready?

Na kiedy to będzie gotowe?

[*na kyedi to beńdźe gotove*]

Could you put this film into the camera?

Czy może pan/pani założyć ten film do aparatu?

[*tfi może pan/pańee zawoʒitç ten feelm do aparatu*]

How much is it?

Ile płacę?

[*eele pwatse*]

Do I pay now or later?

Płacę teraz czy przy odbiorze?

[*pwatse teras tfi pfi odbyoʒe*]

* * *

black-and-white film	film czarno--biały	[feelm tʃarno--byawi]
camera	aparat fotograficzny	[aparat fotografeetʃni]
case	futerał	[futeraw]
colour film	film kolorowy	[feelm kolorovi]
colour filter	filtr kolorowy	[feeltr kolorovi]
flashlight	lampa błyskowa	[lampa bwiskova]
lens	obiektyw	[obyektif]
light meter	światłomierz	[çfyatwomyeʃ]
meter	licznik	[leetʃńeek]
photo album	album fotograficzny	[album fotografeetʃni]
photographer	fotograf	[fotograf]
photographic paper	papier fotograficzny	[papyer fotografeetʃni]
picture (photo)	fotografia	[fotografya]
slides	slajdy	[slaydi]
take photos (films)	fotografować	[fotografovatç]
telephoto lens	teleobiektyw	[teleobyektif]
35-mm film	film mało-obrazkowy	[feelm mawo-obraskovi]
tripod	statyw	[statif]

FOTOGRAF   photographer

Where is the nearest first aid station?

Gdzie jest pogotowie ratunkowe?

[*gd͡ze yest pogotovye ratunkove*]

Please call an ambulance.

Proszę wezwać pogotowie ratunkowe.

[*proʃe vezvat͡ɕ pogotovye ratunkove*]

Where is the nearest clinic?

Gdzie jest najbliższa przychodnia lekarska?

[*gd͡ze yest naybleeʃ-ʃa pʃihodńa lekarska*]

How can I call a doctor?

Jak mogę wezwać lekarza?

[*yak moge vezvat͡ɕ lekaʒa*]

I'm ill.

Jestem chory/chora.

[*yestem hori/hora*]

I don't feel well.

Źle się czuję.

[*ʑle ɕe t͡ʃuye*]

I'd like to have an appointment with a doctor.

Chciałbym/chciałabym się dostać do lekarza.

[*ht͡ɕawbim/ht͡ɕawabim ɕe dostat͡ɕ do lekaʒa*]

Where is the dentist's surgery?	Gdzie jest przychodnia dentystyczna? [*gdźe yest pʃihodńa dentistitʃna*]
Where is the nearest dentist?	Gdzie mogę znaleźć dentystę? [*gdźe moge znaleçtç dentiste*]
Where is the nearest hospital?	Gdzie jest najbliższy szpital? [*gdźe yest naybleeʃ-ʃi ʃpeetal*]
Where is the nearest chemist?	Gdzie jest najbliższa apteka? [*gdźe yest naybleeʃ-ʃa apteka*]

* * *

What's the matter with you?	Co panu/pani dolega? [*tso panu/pańee dolega*]
It hurts here.	Tu mnie boli. [*tu mńe bolee*]
I suffer from...	Choruję na... [*horuye na...*]
I am pregnant.	Jestem w ciąży. [*yestem ftçõʒi*]

Diseases

bite	ukąszenie	[*ukõʃeńe*]
blood pressure	ciśnienie krwi	[*tçeeçńeńe krfee*]
high	wysokie	[*visokye*]
low	niskie	[*ńeeskye*]

129

burn, scald	oparzenie	[opaʒeńe]
a cold	przeziębienie	[pʃeʑembyeńe]
cold in the head	katar	[katar]
constipation	zaparcie	[zapartɕe]
coronary disease	choroba wieńcowa	[horoba vyeńtsova]
cough	kaszel	[kaʃel]
cut	skaleczenie	[skaletʃeńe]
diabetes	cukrzyca	[tsukʃitsa]
disease	choroba	[horoba]
fainting	omdlenie	[omdleńe]
fever	gorączka	[gorɔ̃tʃka]
flu	grypa	[gripa]
fracture	złamanie	[zwamańe]
gall stones	kamica żółciowa	[kameetsa ʒuwtɕova]
headache	ból głowy	[bul gwovi]
heart attack	zawał	[zavaw]
heartburn	zgaga	[zgaga]
hemorrhage	krwotok	[krfotok]
indigestion	niestrawność	[ńestravnoɕtɕ]
infection	zakażenie	[zakaʒeńe]
inflammation	zapalenie	[zapaleńe]
kidney stones	kamica nerkowa	[kameetsa nerkova]
nausea	mdłości	[mdwoɕtɕee]
neurosis	nerwica	[nerveetsa]
pain in the heart	ból serca	[bul sertsa]

pains in the kidneys	bóle nerek	[*bule nerek*]
pains in the liver	bóle wątroby	[*bule vontrobi*]
pneumonia	zapalenie płuc	[*zapaleńe pwuts̃*]
poisoning	zatrucie	[*zatrutçe*]
rheumatism	reumatyzm	[*rewmatizm*]
short of breath	duszność	[*duʃnoçtç*]
small-pox	ospa	[*ospa*]
sore throat	ból gardła	[*bul gardwa*]
stomach-ache	ból brzucha	[*bul bʒuha*]
stroke	udar mózgu	[*udar muzgu*]
toothache	ból zęba	[*bul zemba*]
ulcer	wrzód	[*vʒut*]
upset stomach	rozstrój żołądka	[*rostruy ʒowontka*]
vomiting	wymioty	[*vimyoti*]
wound	rana	[*rana*]

Parts of the body

appendix	wyrostek robaczkowy	[*virostek robats̃kovi*]
bladder	pęcherz	[*pẽheʃ*]
bone	kość	[*koçtç*]
duodenum	dwunastnica	[*dvunastńeet͡sa*]
ear	ucho	[*uho*]
eye	oko	[*oko*]
finger	palec	[*palets̃*]
foot	stopa	[*stopa*]

131

gall bladder	woreczek żółciowy	[*voretʃek ʒuwtҫovi*]
hand	ręka	[*reŋka*]
head	głowa	[*gwova*]
heart	serce	[*sertse*]
hip	biodro	[*byodro*]
intestine	jelito	[*yeleeto*]
jaw	szczęka	[*ʃtʃeŋka*]
joint	staw	[*staf*]
kidney	nerka	[*nerka*]
knee	kolano	[*kolano*]
leg	noga	[*noga*]
lip	warga	[*varga*]
liver	wątroba	[*vontroba*]
lung	płuco	[*pwutso*]
mouth	usta	[*usta*]
neck	szyja	[*ʃiya*]
nose	nos	[*nos*]
palm	dłoń	[*dwoń*]
pelvis	miednica	[*myedńeetsa*]
ribs	żebra	[*ʒebra*]
shoulder	bark	[*bark*]
skin	skóra	[*skura*]
spine	kręgosłup	[*kreŋgoswup*]
spleen	śledziona	[*ҫledʑona*]
stomach	żołądek	[*ʒowondek*]
thigh	udo	[*udo*]
tongue	język	[*yeŋzik*]

Medicines

antibiotic	antybiotyk	[*antibyotik*]
aspirin	aspiryna	[*aspeerina*]
cough syrup	syrop od kaszlu	[*sirop ot kaʃlu*]
disinfectant	środek odkażający	[*çrodek otkaʒayonʦi*]
drops	krople	[*krople*]
heart drops	na serce	[*na serʦe*]
liver drops	na wątrobę	[*na vontrobe*]
stomach drops	na żołądek	[*na ʒowondek*]
laxative	środek przeciw zaparciom	[*çrodek pʃetçeef zapartçom*]
medicine	lekarstwo	[*lekarstfo*]
ointment	maść	[*maçtç*]
oxygenated water	woda utleniona	[*voda utleñona*]
pain-killer	środek przeciwbólowy	[*çrodek pʃetçifbulovi*]
purgative	środek przeczyszczający	[*çrodek pʃetʃiʃtʃayonʦi*]
sedative	środek uspokajający	[*çrodek uspokayayonʦi*]
sleeping pills	środek nasenny	[*çrodek nasenni*]
syrup	syrop	[*sirop*]
tablet	tabletka	[*tabletka*]
vitamin	witamina	[*veetameena*]

bandage	bandaż	[bandaʃ]
elastic	elastyczny	[elastitʃni]
narrow	wąski	[vonskee]
wide	szeroki	[ʃerokee]
cotton wool	wata	[vata]
dressing	opatrunek	[opatrunek]
elastoplast	plaster z opa-trunkiem	[plaster zopa-trunkyem]
gauze	gaza	[gaza]
needle	igła do strzy-kawki	[eegwa do st-ʃi-kafkee]
plaster	plaster	[plaster]
syringe	strzykawka	[st-ʃikafka]
tampons	tampony	[tamponi]
thermometer	termometr	[termometr]

SPORTS • LEISURE

How do I get to the beach?	Jak dojadę na plażę? [*yak doyade na plaʒe*]
Is the beach guarded?	Czy plaża jest strzeżona? [*tʃi plaʒa yest st-ʃeʒona*]
Is there a lifeguard there?	Czy jest ratownik? [*tʃi yest ratovńeek*]
Is swimming allowed?	Czy można się kąpać? [*tʃi moʒna çe kompatç*]
I'd like to rent	Chciałbym wypożyczyć [*htçawbim vipoʒitʃitç*]
a deckchair	leżak [*leʒak*]
an inflatable mattress	materac dmuchany [*materaͭs dmuhani*]
a surfboard	deskę surfingową [*deske surfiŋgovō*]
water skis	narty wodne [*narti vodne*]
a paddle boat	rower wodny [*rover vodni*]
a canoe, kayak	kajak [*kayak*]
a boat.	łódkę. [*wutke*]

135

What's the rate per hour?	Ile płacę za godzinę? [*eele pwatse za godźeene*]
Do you have swimming lessons here?	Czy jest tu nauka pływania? [*tſi yest tu na-uka pwivańya*]
Can I take an exam for a swimming certificate?	Czy mógłbym zdać egzamin na kartę pływacką? [*tſi mugbim zdatç egzameen na karte pwivatſkõ*]

* * *

Do you have tennis courts here?	Czy są tu korty tenisowe? [*tſi sõ tu korti teńeesove*]
I'd like to rent rackets and balls.	Chciałbym wypożyczyć rakiety i piłki. [*htçawbim vipoʒitſitç rakyeti ee peewkee*]
What's the rate per hour?	Ile płacę za godzinę? [*eele pwatse za godźeene*]

* * *

Do you have	Czy jest tu [*tſi yest tu*]
an indoor swimming pool	basen kryty [*basen kriti*]
an outdoor swimming pool	basen otwarty [*basen otfarti*]
a swimming pool with heated water?	basen z podgrzewaną wodą? [*basen s-podgʒevanõ vodõ*]

136

Where are the showers?	Gdzie są prysznice?
	[gdʑe sõ priʃneetse]
Where is the fitness club?	Gdzie jest gabinet odnowy biologicznej?
	[gdʑe yest gabeenet odnovi byologeeʧney]
What are the opening hours of the sauna?	W jakich godzinach jest czynna sauna?
	[v yakeeh godʑeenah yest ʧinna sawna]
I'd like to have a massage.	Chciałbym zrobić masaż.
	[hʧawbim zrobeeʧ masaʃ]
I'd like to use a jacuzzi/water jets.	Chciałbym skorzystać z biczów wodnych.
	[hʧawbim skoʑistaʧ z beeʧuf vodnih]

* * *

Do you have a skating rink here?	Czy jest tu lodowisko?
	[ʧi yest tu lodoveesko]
How can I get there?	Jak tam dojechać?
	[yak tam doyehaʧ]
What are the opening hours?	W jakich godzinach jest czynne?
	[v yakeeh godʑeenah yest ʧinne]
Can I rent skates here?	Czy można wypożyczyć łyżwy?
	[ʧi moʒna vipoʒitʃiʧ wiʒvi]

137

* * *

Where is there a sleigh slope/track around here?	Gdzie tu jest tor saneczkowy? [gdże tu yest tor sanetʃkovi]
I'd like to rent a sleigh.	Chciałbym wypożyczyć sanki. [htçawbim vipoʒitʃitç sankee]

* * *

I'd like to take skiing lessons.	Chciałbym nauczyć się jeździć na nartach. [htçawbim na-utʃitç çe yeʒdʒeetç na nartah]
Do you have a ski coach here?	Czy jest tu instruktor jazdy na nartach? [tʃi yest tu instruktor yazdi na nartah]
Do you give individual or group lessons?	Czy nauka jest indywidualna czy grupowa? [tʃi na-uka yest eendiveeduwalna tʃi grupova]
How much is a two-week course?	Ile kosztuje dwutygodniowy kurs? [eele koʃtuye dvutigodnyovi kurs]
I'd like to sign up.	Proszę mnie zapisać. [proʃe mnye zapeesatç]
Can I rent the equipment?	Czy można wypożyczyć sprzęt? [tʃi moʒna vipoʒitʃitç spʃent]

138

I'd like to rent skis for two weeks.	Chciałbym wypożyczyć narty na dwa tygodnie.
	[*htçawbim vipoʒitʃitç narti na dva tigodnye*]
Do you have a chair lift (rope tow) here?	Czy jest tu wyciąg krzesełkowy (orczykowy)?
	[*tʃi yest tu vitçoŋk kʃesewkovi (ortʃikovi)*]
I'd like to take the cable car to the Kasprowy Wierch.	Chciałbym pojechać kolejką linową na Kasprowy Wierch.
	[*htçawbim poyehatç koleykõ leenovõ na kasprovi vyerh*]
Where is the cable car station?	Gdzie jest stacja kolejki linowej?
	[*gdʑe yest statsya koleykee leenovey*]
One ticket, please.	Proszę jeden bilet.
	[*proʃe yeden beelet*]

* * *

Do you have a horse-riding club here?	Czy jest tu klub jeździecki?
	[*tʃi yest tu klup yeʑdʑetskee*]
Can I have a ten-day stay at a horse-riding camp?	Czy można załatwić 10-dniowy pobyt w stadninie?
	[*tʃi moʒna zawatfeetç dʑeçeñtçodnyovi pobit fstadñeeñe*]

Can I take horse-riding lessons here?	Czy można tu nauczyć się jazdy konnej?
	[ʧi moʒna tu na-uʧiʧ çe yazdi konney]
Can I take individual lessons?	Czy lekcje mogą być indywidualne?
	[ʧi lekʦye mogō biʧ eendiveeduwalne]
How much are the lessons?	Ile kosztują lekcje?
	[eele koʃtuyō lekʦye]
How much is the stay including the lessons?	Ile kosztuje pobyt razem z kursem?
	[eele koʃtuye pobit razem skursem]
When can I start the lessons?	Od kiedy mogę zacząć lekcje?
	[ot kyedi moge zaʧońʧ lekʦye]
Who organizes	Kto organizuje
	[kto orgańeezuye]
rabbit hunts	polowania na zające
	[polovanya na zayonʦe]
duck hunts	polowania na kaczki
	[polovanya na kaʧkee]
boar hunts?	polowania na dziki?
	[polovanya na dʒeekee]
Do you also organize	Czy są również polowania
	[ʧi sō ruvnyeʃ polovanya]
wolf hunts	na wilki
	[na veelkee]

140

bison hunts?	na żubry? [na ʒubri]
What is the hunting season for...?	Kiedy poluje się na...? [kyedi poluye çe na...]
Can I get a folder about it	Czy mogę dostać odpowiedni prospekt [tʃi moge dostaʈç otpovyednee prospekt]
in English	w języku angielskim [vjēziku aŋgyelskeem]
in German?	w języku niemieckim? [vjēziku nyemyetskeem]

* * *

Do you have coach tours of the city?	Czy są autokarowe wycieczki po mieście? [tʃi sō awtokarove vitçetʃkee po myeçtçe]
Where does the sightseeing coach start?	Skąd odjeżdża autokar? [skont odyeʒdʒa awtokar]
What language does the guide speak?	W jakim języku mówi przewodnik? [v yakeem yēziku muvee pʃevodńeek]
How long is such a sightseeing tour?	Jak długo trwa wycieczka? [yak dwugo trfa vitçetʃka]
How much is the tour?	Ile kosztuje taka wycieczka? [eele koʃtuye taka vitçetʃka]

141

What's that palace?	Co to za pałac?
	[tso to za pawats]
Can we visit it?	Czy wolno go zwiedzać?
	[tʃi volno go zvyedzatç]
Can we visit	Czy wolno zwiedzać
	[tʃi volno zvyedzatç]
that church	ten kościół
	[ten koçtçuw]
that synagogue?	tę synagogę?
	[tē sinagoge]
What are the visiting hours?	W jakich godzinach?
	[v yakeeh godʒeenah]
Do they have group tours or individual ones?	Zwiedza się grupowo czy indywidualnie?
	[zvyedza çe grupovo tʃi eendiveeduwalnye]
Do you have a guided tour on a cassette?	Czy jest przewodnik nagrany na kasecie?
	[tʃi yest pʃevodńeek nagrani na kasetçe]
In what language?	W jakim języku?
	[v-yakeem yēziku]

* * *

I'd like to take a bicycle trip around the countryside.	Chciałbym odbyć wycieczkę rowerową po okolicy.
	[htçawbim odbitç vitçetʃke roverovō po okoleetsi]

142

I have my own bicycle.	Mam własny rower.
	[*mam vwasni rover*]
I'd like to rent a bicycle.	Chciałbym wypożyczyć rower.
	[*hṫçawbim vipoʒitʃitç rover*]
Do you have group tours?	Czy organizuje się grupowe wycieczki?
	[*tʃi orgańeezuye çe grupove vitçetʃkee*]
I'd like to get in touch with the Polish Cyclists' Society.	Chciałbym nawiązać kontakt z Polskim Towarzystwem Cyklistów.
	[*hṫçawbim navyōzatç kontakt s-polskeem tovaʒistfem ṫsikleestuf*]
Please give me the address.	Proszę podać adres.
	[*proʃe podatç adres*]

* * *

Where can I get tickets	Gdzie mogę kupić bilety
	[*gdʒe moge kupeetç beeleti*]
to the opera	do opery
	[*do operi*]
to the theatre?	do teatru?
	[*do te-atru*]
I'd like to see this week's repertoire.	Chciałbym zobaczyć repertuar na ten tydzień.
	[*hṫçawbim zobatʃitç repertuwar na ten tidʒeń*]

143

Where can I buy tickets to... for...?	Gdzie mogę kupić bilety do... na...?
	[gdʑe moge kupeetɕ beeleti do... na...]
How much is the ticket to... for...?	Ile kosztuje bilet do... na...?
	[eele koʃtuye beelet do... na...]
Can I book tickets in advance?	Czy jest przedsprzedaż biletów?
	[tʃi yest pʃetspʃedaʃ beeletuf]
Two tickets for tonight, please.	Proszę dwa bilety na dzisiejszy wieczór.
	[proʃe dva beeleti na dʑeeçeyʃi vyetʃur]
I'd like to return these tickets.	Chciałbym zwrócić te bilety.
	[htɕawbim zvrutɕeetɕ te beeleti]
Is the film shown in the original version?	Czy film wyświetlany jest w wersji oryginalnej?
	[tʃi film viçfetlani yest v-versyee origeenalney]
I'd like to buy a catalogue of this exhibition.	Chciałbym kupić katalog tej wystawy.
	[htɕawbim kupeetɕ katalok tey vistavi]
Can I get copies of Polish paintings?	Czy dostanę reprodukcje malarstwa polskiego?
	[tʃi dostane reproduktsye malarstfa polskyego]

I'd like to buy some copies of paintings by Malczewski.

Proszę o reprodukcje obrazów Malczewskiego.
[proʃe o reprodukt͡sye obrazuf malt͡ʃefskyego]

art gallery	galeria obrazów	[galerya obrazuf]
balcony	balkon	[balkon]
ballet	balet	[balet]
box	loża	[loʒa]
casino	kasyno	[kasino]
cinema	kino	[keeno]
circus	cyrk	[t͡sirk]
concert	koncert	[kont͡sert]
concert hall	sala koncertowa	[sala kont͡sertova]
disco	dyskoteka	[diskoteka]
exhibition	wystawa	[vistava]
film	film	[feelm]
museum	muzeum	[muzewum]
opera	opera	[opera]
opera house	opera	[opera]
operetta	operetka	[operetka]
philharmonic	filharmonia	[feelharmonya]
play	sztuka teatralna	[ʃtuka te-atralna]
programme	program	[program]
theatre	teatr	[te-atr]

usher	bileter	[*beeleter*]
usherette	bileterka	[*beeleterka*]
variety show; revue	rewia	[*revya*]

TEATR	theatre
KINO	cinema
FILHARMONIA	philharmonic
MUZEUM	museum
CYRK	circus
DYSKOTEKA	disco
SZATNIA	cloakroom
PROGRAM	programme
KASA	box-office
PRZEDSPRZEDAŻ BILETÓW	advance booking

Do you have a stadium in this city?	Czy w tym mieście jest stadion?
	[*tʃi ʃtim myeçtçe yest stadyon*]
How can I get there?	Jak tam dojechać?
	[*yak tam doyehatç*]
Please show it to me on the city map.	Proszę pokazać mi na planie miasta.
	[*proʃe pokazatç mee na planye myasta*]

Do you organize speedway races here?	Czy odbywają się tutaj zawody na żużlu?
	[tʃi odbivayō çe tutay zavodi na ʒuʒlu]
Can I get two tickets for today's game?	Czy dostanę dwa bilety na dzisiejszy mecz?
	[tʃi dostane dva beeleti na dʒeeçeyʃi metʃ]
All the tickets are sold out.	Wszystkie bilety są sprzedane.
	[ffistkye beeleti sō spʃedane]
Do you have horse races here?	Czy odbywają się tutaj wyścigi konne?
	[tʃi odbivayō çe tutay viçtçeegee konne]
Please show me on the map where the horse-race track is.	Proszę pokazać mi na planie miasta, gdzie jest tor wyścigowy.
	[proʃe pokazatç mee na planye myasta gdʒe yest tor viçtçeegovi]
How can I get there?	Jak tam dojechać?
	[yak tam doyehatç]

* * *

basketball	koszykówka	*[koʃikufka]*
boxing	boks	*[boks]*
cycling	kolarstwo	*[kolarstfo]*

decathlon	dziesięciobój	[dʑeçeńtçobuy]
discus throw	rzut dyskiem	[ʒut diskyem]
fencing	szermierka	[ʃermyerka]
football, soccer	piłka nożna	[peewka noʒna]
gliding	szybownictwo	[ʃibovneetstfo]
golf	golf	[golf]
gymnastics	gimnastyka	[geemnastika]
hammer throw	rzut młotem	[ʒut mwotem]
high jump	skok wzwyż	[skok vzviʃ]
horse riding	jeździectwo	[yeʑdʑetstfo]
javelin throw	rzut oszczepem	[ʒut oʃtʃepem]
judo	dżudo	[dʒudo]
long jump	skok w dal	[skok vdal]
pole vault	skok o tyczce	[skok o titʃtse]
rowing	wioślarstwo	[vyoçlarstfo]
run	bieg	[byek]
shooting	strzelectwo	[stʃeletstfo]
shot put	pchnięcie kulą	[phnyeńtçe kulō]
skating	łyżwiarstwo	[wiʒvyarstfo]
skiing	narciarstwo	[nartçarstfo]
swimming	pływanie	[pwivanye]
tennis	tenis	[tenees]
triple jump	trójskok	[truyskok]
volley ball	siatkówka	[çatkufka]
walk	chód	[hut]
wrestling	zapasy	[zapasi]
yachting	żeglarstwo	[ʒeglarstfo]

INDEX

149

WIEDZA
POWSZECHNA

poleca

B. Bartnicka, W. Jekiel, M. Jurkowski, D. Wasilewska,
A. Weselińska, K. Wrocławski
WE LEARN POLISH
An Elementary Course
1. Texts; 2. Grammar and Usage Notes, Exercises
(3 kasety – „Polskie Nagrania")

B. Bartnicka, W. Jekiel, M. Jurkowski, D. Wasilewska,
K. Wrocławski
UCZYMY SIĘ POLSKIEGO
Podręcznik języka polskiego dla cudzoziemców. T. 1, 2
(3 kasety – „Polskie Nagrania")

B. Bartnicka, H. Satkiewicz
GRAMATYKA JĘZYKA POLSKIEGO
Podręcznik dla cudzoziemców

R. Sinielnikoff, E. Prechitko
WZORY LISTÓW POLSKICH

M. Foland-Kugler
TRUDNE MAŁE WYRAZY
Materiały do nauki języka polskiego jako obcego

WIEDZA
POWSZECHNA

Prowadzimy sprzedaż wysyłkową.

Książki można zamawiać
   telefonicznie, faksem,
   listownie i w Internecie.

- **księgarnia wysyłkowa**
   Al. Prymasa Tysiąclecia 60/62, 01-424 Warszawa
   tel./fax: (0-22) 877 17 42
- **księgarnia internetowa**
   www.wiedza.pl

Zamówienia realizujemy za zaliczeniem pocztowym.
Jeśli wartość zamówienia przekracza 150,00 zł,
koszt opłaty pocztowej pokrywa Wydawnictwo.

Prowadzimy również sprzedaż kaset Polskich Nagrań
do naszych podręczników.